頻出度順
漢字検定
7・8級
合格！問題集

新星出版社

8級

目次

第1章 配当漢字表と「読み」・「書き取り」の問題……7

第2章 テーマ別《べつ》本試験型《しけんがた》問題……49

※本書の情報は2024年２月現在のものです。
◆「漢字検定」・「漢検」は公益財団法人　日本漢字能力検定協会の登録商標です。

7級

第3章 配当漢字表と「読み」・「書き取り」の問題

第4章 テーマ別本試験型《がた》問題

付《ふ》録《ろく》

別《べっ》冊《さつ》

●STAFF
デザイン・DTP／株式会社グラフト　イラスト／サヨコロ

Guide

本書の特長《とくちょう》と受検《じゅけん》ガイド

本書の特長

本書は、公益財団法人《こうえきざいだんほうじん》日本漢字能力検定協会《のうりょくけんていきょうかい》が実施《じっし》している「日本漢字能力検定」の7級、8級に合格《かく》する力を効率《こうりつ》よく身に付《つ》けるための書籍《せき》です。主に4つの特長があります。

① 日本漢字能力検定の配当漢字が令和2年度から一部が変わりました。本書は**新しい配当漢字に対応《おう》**するとともに、**毎年の出題形式・傾向《けい》にも対応**しています。

② 過去《かこ》に出題された問題を調べ、本冊《さつ》では**よく出題される問題からA・B・Cにランク分け**をしています。

③ 配当漢字を「読み」と「書き取り」の問題でよく出題される順《じゅん》にならべたため、**すべての配当漢字を効率よく学習**できます。

④ 最新《さいしん》の出題形式・傾向に対応した**もぎ試験《しけん》問題（各《かく》2回分）を別冊《べっさつ》に収録《しゅうろく》**しています。

実施要項《ようこう》

・**検《けん》定日**：日本漢字能力検定が公開会場で実施されるのは、年3回です（6月、10月、次の年の2月）。申しこみ期間は検定日のおよそ2か月前から1か月前までの間です。

・**検定時間**：8級は40分。7級は60分。

・**検定会場**：全国の主な都市。

・**受検資格《しかく》と受検級**：級位は10級から1級まであり、どの級からでも自由に受検できます。4つまでなら同じ日に受検できます。

・**対象《しょう》レベル**：8級は、小学校3年生修了程度《しゅうりょうていど》。7級は、小学校4年生修了程度。

・**合否《ごうひ》の基準《きじゅん》と通知**：8級は150点満《まん》点で80％ほど、7級は200点満点で70％ほどが合格の目安です。検定日から40日を目安に、検定結果《けっか》通知が送られます。

申しこみ方法

・インターネットから申しこむ

日本漢字能力検定協会のホームページ（https://www.kanken.or.jp/kanken/）にアクセスし、必要事項《こう》を入力することで申しこみができます。クレジットカードによる支払《しはら》い、コンビニ決済《けっさい》が可《か》能です。

申しこみ方法などは変更《こう》になることがありますので、最新情報《じょうほう》は日本漢字能力検定協会のホームページでご確認《かくにん》ください。

※手続きが終わると、検定日の1週間前ごろまでに受検票《ひょう》がとどきます。とどかない場合は、左記協会に問い合わせてください。

公益財団法人　日本漢字能力検定協会
〒605-0074
京都市東山区祇園町南側551番地
TEL　075-757-8600
FAX　075-532-1110
URL　https://www.kanken.or.jp/kanken/
●お問い合わせ窓口
TEL　0120-509-315（無料）

7・8級の採点《さいてん》基準

・字種《しゅ》・字体・読み：内閣告示《かくこくじ》「常用《じょう》漢字表」（平成22年）によります。

・字の書き方：はねるところ、とめるところに気をつけて、筆画を正しく、楷書《かいしょ》体で大きく明確《かく》に書きましょう。くずした字や乱雑《らんざつ》な書き方は採点《さい》の対象外です。

例

はねる	とめる	つきだす	つける
記	車	事	全

・仮名遣《かなづか》い・送りがな：仮名遣いは内閣告示「現代仮名遣い」に、送りがなは内閣告示「送り仮名の付け方」によります。

・部首：『漢検要覧《ようらん》　2～10級対応　改訂《てい》版』（公益財団法人日本漢字能力検定協会発行）収録の「部首一覧《いちらん》表と部首別《べつ》の常用漢字」によります。

・書き順：原則《そく》は文部省編《へん》『筆順指導の手びき』（昭和33年）によります。常用漢字一字一字の書き順は『漢検要覧2～10級対応　改訂版』によります。

Point

8級の出題内容《ようと》と得点《とく》のポイント

8級で出題される漢字

8級で出題される漢字は小学3年生までの440字です。8級配当漢字の200字がよく出題されます。

1 読み

漢字の読みをひらがなで答える問題です。問題がたくさん出るのでしっかり得点しましょう。「じ」と「ぢ」、「ず」と「づ」、「おう」と「おお」などを正しく書き分けるようにしましょう。

2 書きじゅん

漢字の太くなったところが何番めに書くかを答える問題です。正しく書きじゅんをおぼえましょう。

3 はんたい語

しめされたことばと、はんたいのいみのことばを答える問題です。ふりがながふられた( )の中にあてはまる漢字を書き入れましょう。

4 同じ部首の漢字

ふりがながふられた□の中に、しめされた部首をつかって漢字を答える問題です。

5 同じ読みの漢字

同じ読み方をするちがう漢字を答える問題です。まわりの文章からじゅく語の意味を考えましょう。

6 おくりがな

カタカナ部分を、しめされた漢字とおくりがなになおす問題です。漢字を書くときには、おくりがなもいっしょにおぼえるようにしておきましょう。

7 同じ漢字の音訓(くん)読み

ひとつの漢字の音読みと訓《くん》読みを答える問題です。

8 書き取り

ふりがながふられた□の中にあてはまる漢字を答える問題です。文の意味を考えながら答えましょう。はねるところ、とめるところなどがわかるように、はっきりと、ていねいに書きましょう。

8級

第1章

配当漢字表と「読み」・「書き取り」の問題

※「読み」・「書き取り」の問題では、見開きごとに「目標《ひょう》時間」、「合格《かく》ライン」、「得《とく》点」のらんがあります。目標《ひょう》時間内に合格《かく》ラインの点数より多く得《とく》点できるよう、がんばりましょう。

※第1章の答えは別冊《べっさつ》26～32ページにあります。

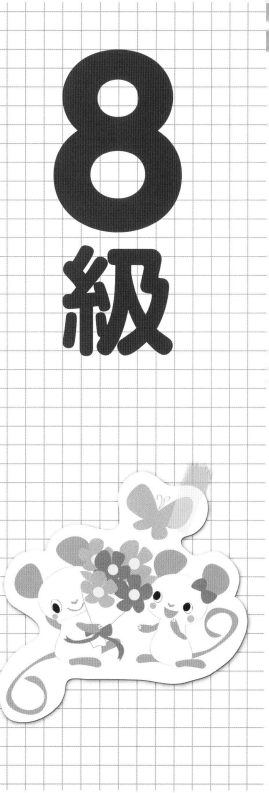

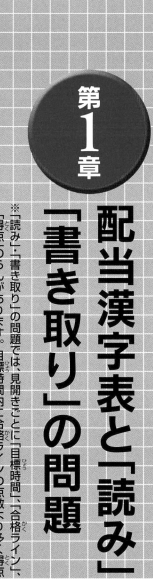

Aランク

配当漢字表①

漢字	読み	画数	部首	部首名	書きじゅん
育	音 イク　訓 そだ(つ)　そだ(てる)　はぐく(む)	8	肉	にく	丶 亠 𠫓 𠫓 产 育 育 育
岸	音 ガン　訓 きし	8	山	やま	丨 山 山 屵 岸 岸 岸 岸
起	音 キ　訓 お(きる)　お(こる)　お(こす)	10	走	そうにょう	一 十 土 キ キ 走 走 起 起 起
球	音 キュウ　訓 たま	11	王	おうへん　たまへん	一 T 王 王 玎 玎 玎 球 球 球 球
去	音 キョ　コ　訓 さ(る)	5	厶	む	一 十 土 去 去
銀	音 ギン　訓 ―	14	金	かねへん	ノ 𠆢 𠆢 𠆢 牟 牟 余 金 釕 鈩 鈩 鉅 銀 銀

漢字	読み	画数	部首	部首名	書きじゅん
具	音 グ　訓 ―	8	八	は	丨 冂 月 月 目 旦 具 具
湖	音 コ　訓 みずうみ	12	氵	さんずい	丶 冫 氵 汁 汁 沽 沽 沽 湖 湖 湖 湖
祭	音 サイ　訓 まつ(る)　まつ(り)	11	示	しめす	ノ ク タ 夕 夕 夕 夕 祭 祭 祭 祭
指	音 シ　訓 ゆび　さ(す)	9	扌	てへん	一 十 扌 扌 扌 扌 指 指 指
所	音 ショ　訓 ところ	8	戸	と	一 ヨ ヨ 戸 戸 所 所 所
植	音 ショク　訓 う(える)　う(わる)	12	木	きへん	一 十 木 木 木 村 村 枯 柿 植 植 植

「育てる」「植える」「美しい」「流れる」は、おくりがなの問題でもよく出題されるので気をつけよう！

※「読み」のらんの（　）内はおくりがなです。㊥は中学校で習う読み、㊕は高校で習う読みのことで、どちらも出題されません。

漢字	読み（音）	読み（訓）	画数	部首	部首名	書きじゅん
世	セイ セ	よ	5	一	いち	一 十 廿 廿 世
対	タイ ツイ㊥	—	7	寸	すん	丶 亠 ナ 文 文 対 対
調	チョウ	しら(べる) ととの(う)㊥ ととの(える)㊥	15	言	ごんべん	丶 亠 亠 亠 言 言 言 訁 訂 訂 訂 調 調 調 調
庭	テイ	にわ	10	广	まだれ	丶 亠 广 广 庄 庄 庄 庭 庭 庭
鉄	テツ	—	13	金	かねへん	ノ 𠆢 𠆢 亼 全 牟 金 金 釒 鉄 鉄 鉄 鉄
転	テン	ころ(がる) ころ(げる) ころ(がす) ころ(ぶ)	11	車	くるまへん	一 𠃌 冂 百 亘 車 車 転 転 転 転
箱	—	はこ	15	⺮	たけかんむり	ノ 𠂉 𠂉 𥫗 𥫗 竹 竹 竹 箱 箱 箱 箱 箱 箱 箱
発	ハツ ホツ㊥	—	9	癶	はつがしら	フ ヌ ヌ 癶 癶 癶 癸 発 発

漢字	読み（音）	読み（訓）	画数	部首	部首名	書きじゅん
反	ハン ホン㊫ タン㊥	そ(る) そ(らす)	4	又	また	一 厂 万 反
美	ビ	うつく(しい)	9	羊	ひつじ	丶 丷 䒑 兰 兰 羊 美 美 美
面	メン	おも㊥ おもて㊥ つら㊫	9	面	めん	一 ア 了 丙 而 而 而 面 面
予	ヨ	—	4	亅	はねぼう	フ マ 𠃊 予
流	リュウ ル㊫	なが(れる) なが(す)	10	氵	さんずい	丶 冫 氵 氵 汁 浐 浐 浐 流 流
旅	リョ	たび	10	方	ほうへん かたへん	丶 亠 方 方 方 方 方 方 旅 旅
両	リョウ	—	6	一	いち	一 𠃌 冂 币 両 両
列	レツ	—	6	刂	りっとう	一 ア 歹 歹 列 列

A ランク

配当漢字表①読み

目標時間 **12**分

合格ライン **32**点

得点　　／40

月　日

● つぎの――線の**漢字**の**読みがな**を書きなさい。

1 海岸の近くの宿にとまる。（　　）

2 早く起きてジョギングをする。（　　）

3 チューリップの球根を買う。（　　）

4 去年の四月に小学校に入学した。（　　）

5 銀のスプーンでスープを飲む。（　　）

6 習字の道具をかたづける。（　　）

7 湖の上に大きな白い船が見えた。（　　）

8 つぎの土曜日に祭りがある。（　　）

9 足の小指をタンスにぶつけた。（　　）

10 トマトのなえを植える。（　　）

11 テレビで世界のニュースを見る。（　　）

12 友人の意見に反対する。（　　）

13 地下鉄に乗ってデパートに行く。（　　）

14 新しい自転車を買ってもらう。（　　）

15 箱からケーキを出して食べる。（　　）

16 ベルは電話を発明した。（　　）

17 山の上から見える海が美しい。（　　）

18 コンクリートの地面に水をまく。（　　）

19 六月に南アフリカに行く予定だ。（　　）
20 屋上から流れ星をながめる。（　　）
21 ケーキとプリン両方すきだ。（　　）
22 一列にならんでバスに乗る。（　　）
23 母と岸べを歩く。（　　）
24 去る者は追わず（　　）
25 みんなで文化祭の用意をする。（　　）
26 植物園でサボテンを見た。（　　）
27 あの人は八方美人だ。（　　）
28 石につまづいて転んだ。（　　）
29 思わず体をうしろに反らす。（　　）
30 姉は流行のくつをはいている。（　　）

31 体育にドッジボールをした。（　　）
32 大きく育つように木に水をやる。（　　）
33 バスに乗って市役所に行く。（　　）
34 台所からいいにおいがしてきた。（　　）
35 あのチームは近ごろ調子がよい。（　　）
36 テスト会場への行き方を調べる。（　　）
37 月曜日は校庭で朝礼がある。（　　）
38 庭には大きなカキの木がある。（　　）
39 夏休みは旅行するつもりだ。（　　）
40 旅先から家族に電話する。（　　）

A ランク

配当漢字表①
書き取り

目標時間 12分

合格ライン 23点

得点 ／28
月　日

●つぎの□の中に**漢字**を書きなさい。

1 体 1□《いく》 の時間にとび 2□《ばこ》 をやった。

2 朝早く 3□《お》 きて海 4□《がん》 を犬と歩いた。

3 5□《きょ》 年は野 6□《きゅう》 の大きな大会がアメリカであった。

4 7□《てつ》 でできた道 8□《ぐ》 をきちんとかたづける。

5 青い 9□《みずうみ》 の上を白い雲が 10□《なが》 れている。

6 父がドイツで 11□《うつく》 しい 12□《ぎん》 色の皿を買ってきた。

7　近 13□《じょ》の神社で 14□《まつ》りがあり、金魚すくいをした。

8　弟は 15□《りょう》手の 16□《ゆび》を使って数を数える。

9　学校とは 17□《はん》 18□《たい》のほうにある図書館に行く。

10　本で 19□《しら》べてウサギの 20□《せ》話をする。

11　バスの運 21□《てん》手が 22□《はっ》車の用意をしている。

12　広場には花が一 23□《めん》に 24□《う》えられていた。

13　一 25□《れつ》にならんで校 26□《てい》で大なわとびをする。

14　おじは 27□《よ》定していた 28□《たび》に出かけた。

Aランク 配当漢字表②

漢字	読み	画数	部首	部首名	書きじゅん
暗	音 アン 訓 くら(い)	13	日	ひへん	丨 冂 日 日 日' 旷 旷 旷 暗 暗 暗 暗 暗
飲	音 イン 訓 の(む)	12	飠	しょくへん	ノ 𠆢 𠆢 今 今 今 𩙿 𩙿 飠 飲 飲 飲
運	音 ウン 訓 はこ(ぶ)	12	辶	しんにょう しんにゅう	丶 冖 冖 冖 冐 冐 冐 亘 軍 軍 運 運
泳	音 エイ 訓 およ(ぐ)	8	氵	さんずい	丶 丷 氵 氵 汀 汈 泳 泳
駅	音 エキ 訓 ―	14	馬	うまへん	丨 厂 冂 币 甲 馬 馬 馬 馬 馬 馬 馹 駅 駅
屋	音 オク 訓 や	9	尸	かばね しかばね	「 コ 尸 尸 尸 层 层 屖 屋

漢字	読み	画数	部首	部首名	書きじゅん
感	音 カン 訓 ―	13	心	こころ	ノ 厂 厂 后 后 后 咸 咸 咸 感 感 感 感
究	音 キュウ 訓 きわ(める)㊥	7	穴	あなかんむり	丶 丷 宀 穴 穴 究 究
橋	音 キョウ 訓 はし	16	木	きへん	一 十 木 木 杧 杧 杧 桥 桥 桥 桥 橋 橋 橋 橋 橋
決	音 ケツ 訓 き(める) き(まる)	7	氵	さんずい	丶 丷 氵 汀 汀 決 決
研	音 ケン 訓 と(ぐ)㊥	9	石	いしへん	一 ア 不 石 石 石 矸 研 研
港	音 コウ 訓 みなと	12	氵	さんずい	丶 丷 氵 汁 汁 汫 洪 洪 洪 洪 港 港

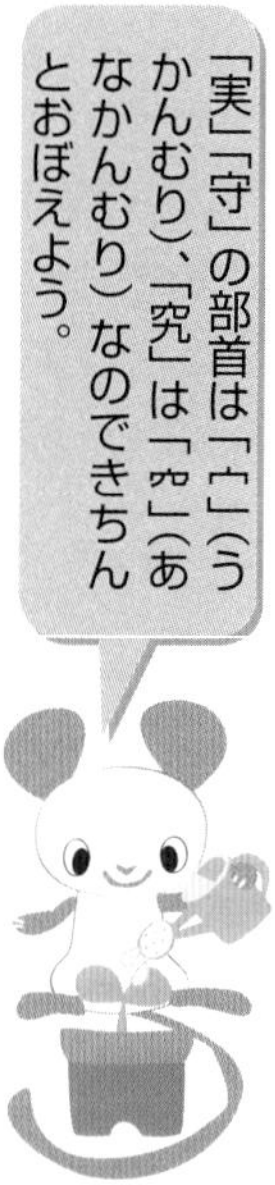

「実」「守」の部首は「宀」(うかんむり)、「究」は「穴」(あなかんむり)なのできちんとおぼえよう。

漢字	読み 音	読み 訓	画数	部首	部首名	書きじゅん
根	コン	ね	10	木	きへん	一 十 才 木 村 杙 杙 相 根 根
皿	—	さら	5	皿	さら	丨 冂 冂 罒 皿
持	ジ	も(つ)	9	扌	てへん	一 十 扌 扌 扗 扗 挂 挂 持
実	ジツ	み、みの(る)	8	宀	うかんむり	丶 丶 宀 宀 宀 宝 実 実
守	シュ、ス	まも(る)、も(り)㊥	6	宀	うかんむり	丶 丶 宀 宀 守 守
習	シュウ	なら(う)	11	羽	はね	㇆ ㇋ ㇋ 习 羽 羽 羽 羽 習 習 習
相	ソウ、ショウ㊥	あい	9	目	め	一 十 才 木 朩 机 相 相 相
想	ソウ、ソ㊂	—	13	心	こころ	一 十 才 木 朩 机 相 相 相 想 想 想 想

漢字	読み 音	読み 訓	画数	部首	部首名	書きじゅん
短	タン	みじか(い)	12	矢	やへん	ノ 𠂉 ㇐ 矢 矢 矢 知 知 短 短 短 短
味	ミ	あじ、あじ(わう)	8	口	くちへん	丨 口 口 口 吁 味 味 味
遊	ユウ、ユ㊂	あそ(ぶ)	12	辶	しんにょう しんにゅう	丶 亠 方 方 方 方 斿 斿 斿 游 遊 遊
葉	ヨウ	は	12	艹	くさかんむり	一 十 艹 艹 芒 苹 苹 苹 萍 華 葉 葉
陽	ヨウ	—	12	阝	こざとへん	㇇ 阝 阝 阝 阳 阳 阳 陧 陽 陽 陽 陽
様	ヨウ	さま	14	木	きへん	一 十 才 木 木 栏 栏 栏 样 样 样 様 様 様
練	レン	ね(る)	14	糸	いとへん	く 幺 幺 糸 糸 糸 紅 紅 絅 絅 綞 練 練 練
路	ロ	じ	13	⻊	あしへん	丨 口 口 㔾 足 足 足 跁 跁 路 路 路 路

A ランク

配当漢字表②読み

目標時間 **12**分

合格ライン **32**点

得点　／40

月　日

● つぎの――線の**漢字**の**読みがな**を書きなさい。

1 父は毎朝コーヒーを飲む。（　　）

2 つぎの日曜日に運動会がある。（　　）

3 駅までバスで二十分だ。（　　）

4 屋上から見える町をスケッチする。（　　）

5 工場見学の感想を言う。（　　）

6 自由研究で何をするか考える。（　　）

7 新しい歩道橋ができた。（　　）

8 遠足の行き先が決定した。（　　）

9 大きなタンカーが港に着いた。（　　）

10 クッキーを皿にのせる。（　　）

11 百点が取れて気持ちがよかった。（　　）

12 秋になるとたくさんイネが実る。（　　）

13 神社でお守りを買う。（　　）

14 国語の時間に新しい漢字を習う。（　　）

15 先生に友だちのことを相談する。（　　）

16 どのチームが勝つか予想する。（　　）

17 姉は短いスカートをはいている。（　　）

18 イチゴ味のチョコレートを食べる。（　　）

19 ていねいな言葉で話す。
20 水平線から太陽がのぼってきた。
21 公園でさか上がりの練習をする。
22 学校は線路のそばにある。
23 トラックからピアノを運び出す。
24 木のつり橋がゆれる。
25 クラス委員を決める。
26 クリの実をたくさん拾う。
27 けんかした相手となかよくなる。
28 ぼくは短パンをはいている。
29 ことわざの意味がわからない。
30 空港から人が多く出てきた。

兄は暗算で答えを出した。31
暗い夜道をひとりで歩きたくない。32
水曜日は水泳教室に行っている。33
ぼくはバタフライで泳げる。34
手作業なので根気のいる仕事だ。35
引っぱったら根っこが切れた。36
遊園地でパレードを見た。37
広場でサッカーをして遊ぶ。38
何となくこまっている様子だ。39
あの国には王様がいる。40

A ランク

配当漢字表② 書き取り

目標時間 12分

合格ライン 23点

得点 ／28

月　日

●つぎの□の中に**漢字**を書きなさい。

1 夜の1□《みなと》は2□《くら》く人がだれもいない。

2 3□《えき》前の店でコーヒーを4□《の》むことにした。

3 父は毎朝時間を5□《き》めて6□《うん》動している。

4 学校の7□《おく》上のプールで8□《およ》ぎたい。

5 夏休みに読んだ本の9□《かん》10□《そう》文を書く。

6 この大学ではカビの11□《けん》12□《きゅう》をしている。

7 長くのびた13□《ね》を14□《みじか》くはさみで切る。

8 道15□《ろ》工事のため歩道16□《きょう》をわたる。

9 店の人がお子17□《さま》ランチの18□《さら》をもってきた。

10 19□《あい》手のシュートから20□《まも》ったのはあのゴールキーパーだ。

11 21□《み》ができるように太22□《よう》の日ざしが当たる所におく。

12 ダンスの23□《れん》24□《しゅう》を毎日二時間する。

13 25□《は》っぱでふえを作って26□《あそ》んだ。

14 深い意27□《み》を28□《も》っていることわざについて学ぶ。

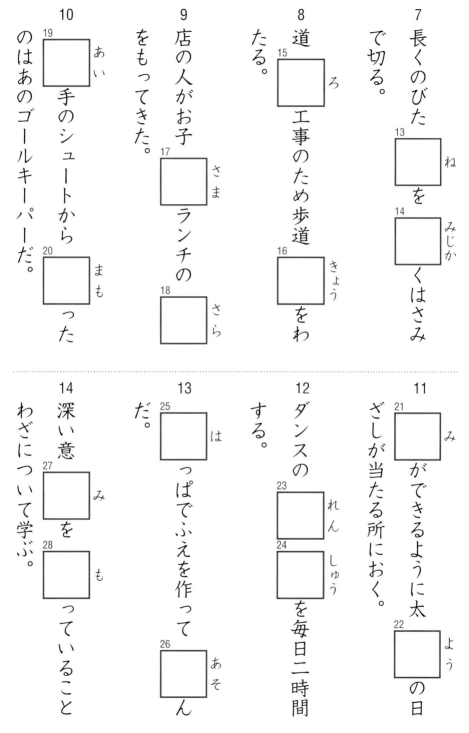

B ランク

配当漢字表①

漢字	読み	画数	部首	部首名	書きじゅん
安	音 アン 訓 やす(い)	6	宀	うかんむり	丶 丶 宀 宊 安 安
員	音 イン 訓 ―	10	口	くち	丨 ㄇ 口 尸 冐 冐 冐 冐 員 員
央	音 オウ 訓 ―	5	大	だい	丨 ㄇ 口 央 央
荷	音 カ㊥ 訓 に	10	艹	くさかんむり	一 十 艹 艹 芢 芢 芢 荷 荷 荷
館	音 カン 訓 やかた	16	飠	しょくへん	ノ 人 今 今 今 今 食 食 飠 飠 飠 飠 飠 館 館 館
期	音 キ ゴ㊢ 訓 ―	12	月	つき	一 十 廾 廾 甘 甘 其 其 期 期 期 期

漢字	読み	画数	部首	部首名	書きじゅん
急	音 キュウ 訓 いそ(ぐ)	9	心	こころ	ノ ク 刍 刍 刍 刍 急 急 急
向	音 コウ 訓 む(く) む(ける) む(かう) む(こう)	6	口	くち	ノ 冂 冂 向 向 向
始	音 シ 訓 はじ(める) はじ(まる)	8	女	おんなへん	乚 女 女 女 始 始 始 始
次	音 ジ シ㊥ 訓 つ(ぐ) つぎ	6	欠	あくび かける	丶 冫 冫 冫 次 次
事	音 ジ ズ㊢ 訓 こと	8	亅	はねぼう	一 一 戸 戸 亊 亊 亊 事
受	音 ジュ 訓 う(ける) う(かる)	8	又	また	一 ノ ⺤ ⺤ ⺤ ⺤ 受 受

「緑」のような「糸」(いとへん)の部分は6画で書くよ。数えまちがえないようにしよう！

漢字	読み	画数	部首	部首名	書きじゅん
拾	音 シュウ㊥ ジュウ㊥ 訓 ひろ(う)	9	扌	てへん	一 十 扌 扌 扒 扴 拎 拾 拾 拾
集	音 シュウ 訓 あつ(まる) あつ(める) つど(う)㊥	12	隹	ふるとり	ノ イ 亻 仁 什 仹 仹 隹 隹 隼 集 集 集
住	音 ジュウ 訓 す(む) す(まう)	7	亻	にんべん	ノ イ 亻 仁 什 住 住
暑	音 ショ 訓 あつ(い)	12	日	ひ	丨 冂 日 日 旦 旱 早 昇 昇 暑 暑 暑
消	音 ショウ 訓 き(える) け(す)	10	氵	さんずい	丶 丶 氵 氵 氵 氵 氵 消 消 消
整	音 セイ 訓 ととの(える) ととの(う)	16	攵	のぶん ぼくづくり	一 𠂉 巿 市 申 束 束 束 剌 敕 敕 敕 整 整 整 整
全	音 ゼン 訓 まった(く) すべ(て)	6	入	いる	ノ 入 亼 仐 全 全
族	音 ゾク 訓 ――	11	方	ほうへん かたへん	丶 亠 亡 方 方 方 方 方 方 族 族 族

漢字	読み	画数	部首	部首名	書きじゅん
待	音 タイ 訓 ま(つ)	9	彳	ぎょうにんべん	ノ 彡 彳 彳 彳 往 往 待 待 待
着	音 チャク ジャク㊫ 訓 き(る) き(せる) つ(く) つ(ける)	12	羊	ひつじ	丶 丷 䒑 兰 羊 羊 羊 差 着 着 着 着
島	音 トウ 訓 しま	10	山	やま	ノ 丨 户 户 白 自 鳥 鳥 島 島
湯	音 トウ 訓 ゆ	12	氵	さんずい	丶 丶 氵 氵 沪 沪 沪 浔 浔 湯 湯 湯
波	音 ハ 訓 なみ	8	氵	さんずい	丶 丶 氵 氵 汀 沪 波 波
板	音 ハン バン 訓 いた	8	木	きへん	一 十 才 木 木 朾 板 板
品	音 ヒン 訓 しな	9	口	くち	丨 口 口 口 口 品 品 品 品
緑	音 リョク ロク㊫ 訓 みどり	14	糸	いとへん	𠃋 幺 幺 糸 糸 糸 糸 紀 紀 紀 紀 緑 緑 緑

B ランク

配当漢字表①読み

目標時間 12分

合格ライン 32点

得点 ／40 月 日

● つぎの——線の漢字の読みがなを書きなさい。

1 クラス委員になりたいと思う。（　　）
2 中央にあなのあるドーナツ。（　　）
3 重たい荷物を持ってあげる。（　　）
4 体育館でバレーボールをする。（　　）
5 工事の期間はあと一週間だ。（　　）
6 船は北の方向に進んでいる。（　　）
7 次の角を右に曲がってください。（　　）
8 父は家で仕事をしている。（　　）
9 兄が受かった高校はすぐ近くだ。（　　）
10 海岸のゴミをみんなで拾う。（　　）
11 集合時間は朝の八時だ。（　　）
12 ことしの夏はとても暑い。（　　）
13 学校で消しゴムをなくした。（　　）
14 ランドセルの中を整理する。（　　）
15 全力でボールを投げた。（　　）
16 水族館でイルカのショーを見た。（　　）
17 バスが来るのをずっと待った。（　　）
18 南の島に遊びに行きたい。（　　）

19 お湯をそそいでラーメンを作る。

20 波が高いので船が出られない。

21 チョークで黒板に名前を書く。

22 学用品を買ってもらった。

23 緑いろの虫が葉にいた。

24 これは消化のよい食べ物だ。

25 新聞でスポーツ記事を読む。

26 赤いはねのお金が一万円も集まる。

27 風でろうそくの火が消えた。

28 外国にいる父から手紙が着いた。

29 まな板の上でタマネギを切る。

30 コインを使って手品をする。

---

31 交通安全について学ぶ。

32 あの店は何でも安い。

33 雨が急にやんで晴れてきた。

34 テレビが見たくて急いで帰る。

35 テスト開始のチャイムが鳴った。

36 もうすぐオリンピックが始まる。

37 はがきに住所と名前を書く。

38 学校の前のマンションに住む。

39 パラシュートが着地した。

40 姉は新しい水着をほしがっている。

Bランク

配当漢字表① 書き取り

●つぎの□の中に**漢字**を書きなさい。

1 あのスーパーには1□《やす》い2□《しな》物がたくさんある。

2 クラス3□《ぜん》4□《いん》で社会科見学に出かける。

3 町の中5□《おう》に大きな図書6□《かん》がある。

4 ひっこしのための7□《に》物を8□《せい》理する。

5 四月から9□《はじ》まる新学10□《き》が楽しみだ。

6 11□《きゅう》に12□《なみ》が高くなってきた。

目標時間 12分

合格ライン 23点

得点 ／28

月　日

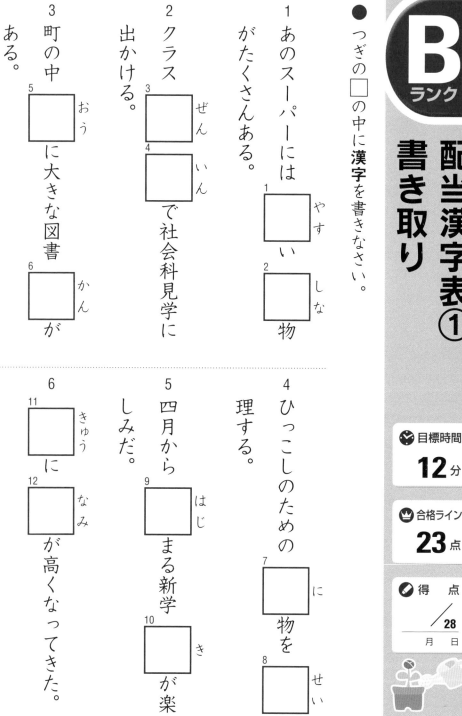

7 こっちの方13□《こう》へ行くと14□《しま》が見えてくるはずだ。

8 15□《つぎ》に16□《あつ》まるときはもっと早い時間にしよう。

9 エ17□《じ》は友だちが18□《す》んでいるアパートの近くでやっている。

10 お19□《ゆ》の入ったポットを20□《う》け取る。

11 道で21□《ひろ》ったカギが22□《き》えているのに気がついた。

12 家23□《ぞく》が24□《ま》っているので早く帰りたい。

13 夏の海岸は25□《あつ》いので26□《き》ているシャツをぬいだ。

14 色は27□《みどり》でも黒28□《ばん》というのはおもしろい。

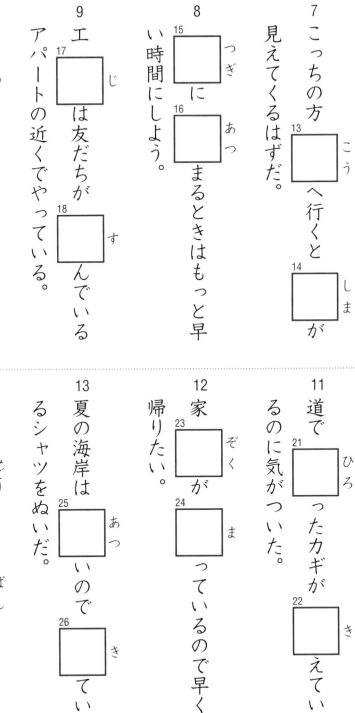

Bランク 配当漢字表②

漢字	読み	画数	部首	部首名	書きじゅん
悪	音 アク、オ(高) 訓 わる(い)	11	心	こころ	一 丆 丌 襾 亜 亜 亜 亜 悪 悪 悪
意	音 イ 訓 —	13	心	こころ	丶 亠 亣 立 产 音 音 音 音 意 意 意 意
横	音 オウ 訓 よこ	15	木	きへん	一 十 才 木 杆 杵 栱 栱 栱 栱 横 横 横 横 横
界	音 カイ 訓 —	9	田	た	丨 冂 罒 田 田 甲 界 界 界
開	音 カイ 訓 ひら(く)、ひら(ける)、あ(く)、あ(ける)	12	門	もんがまえ	丨 冂 冂 門 門 門 門 門 門 開 開 開
階	音 カイ 訓 —	12	阝	こざとへん	了 阝 阝 阝 阝 阝 阝 阝 阝 階 階 階

漢字	読み	画数	部首	部首名	書きじゅん
業	音 ギョウ、ゴウ(高) 訓 わざ(中)	13	木	き	丨 丨丨 业 业 业 业 业 業 業 業 業 業 業
曲	音 キョク 訓 ま(がる)、ま(げる)	6	曰	ひらび いわく	丨 冂 巾 曲 曲 曲
庫	音 コ、ク(高) 訓 —	10	广	まだれ	丶 亠 广 广 庐 庐 庐 庐 庫 庫
勝	音 ショウ 訓 か(つ)、まさ(る)(中)	12	力	ちから	丿 刀 月 月 月 月 月 胖 胖 胖 勝 勝
真	音 シン 訓 ま	10	目	め	一 十 亡 冇 有 直 直 直 真 真
深	音 シン 訓 ふか(い)、ふか(まる)、ふか(める)	11	氵	さんずい	丶 冫 氵 氵 氵 氵 氵 氵 氵 深 深

「同じ部首の漢字」の問題では、「悪」「意」「息」「急」など「心」(こころ)が部首の漢字がよく出題されるよ。

漢字	読み 音	読み 訓	画数	部首	部首名	書きじゅん
昔	セキ(高) シャク(中)	むかし	8	日	ひ	一 十 廾 廾 昔 昔 昔 昔
送	ソウ	おく(る)	9	辶	しんにょう しんにゅう	丶 丷 䒑 兰 关 关 关 送
打	ダ	う(つ)	5	扌	てへん	一 十 扌 扌 打
注	チュウ	そそ(ぐ)	8	氵	さんずい	丶 冫 氵 氵 汁 汁 注 注
笛	テキ	ふえ	11	⺮	たけかんむり	ノ 𠂉 𠂉 𥫗 竺 竺 笛 笛 笛 笛 笛
登	トウ ト	のぼ(る)	12	癶	はつがしら	フ ヲ 癶 癶 癶 癶 癶 登 登 登 登 登
農	ノウ	―	13	辰	しんのたつ	丶 口 曲 曲 曲 曲 曲 農 農 農 農 農 農
畑	―	はた はたけ	9	田	た	丶 丷 火 火 灯 畑 畑 畑 畑

漢字	読み 音	読み 訓	画数	部首	部首名	書きじゅん
坂	ハン(高)	さか	7	土	つちへん	一 十 土 圹 坂 坂 坂
氷	ヒョウ	こおり ひ(高)	5	水	みず	亅 亅 氵 氺 氷
負	フ	ま(ける) ま(かす) お(う)	9	貝	かい こがい	ノ ク 々 負 負 負 負 負 負
服	フク	―	8	月	つきへん	丿 月 月 月 服 服 服 服
物	ブツ モツ	もの	8	牛	うしへん	ノ 𠂉 牛 牛 牛 物 物 物
返	ヘン	かえ(す) かえ(る)	7	辶	しんにょう しんにゅう	一 厂 反 反 返 返 返
油	ユ	あぶら	8	氵	さんずい	丶 冫 氵 汩 油 油 油 油
羊	ヨウ	ひつじ	6	羊	ひつじ	丶 丷 䒑 兰 兰 羊

B ランク

配当漢字表②読み

目標時間 12分

合格ライン 32点

得点 　／40

月　日

● つぎの――線の**漢字**の**読みがな**を書きなさい。

1 クラスみんなで意見を出し合う。（　　）

2 母は横になって休んでいる。（　　）

3 世界を船で旅してみたい。（　　）

4 三時間目の開始のベルが鳴った。（　　）

5 おばが下の階に住んでいる。（　　）

6 電球をとりかえる作業をした。（　　）

7 お金を金庫にしまっておく。（　　）

8 すきなおすもうさんが勝った。（　　）

9 真上からボールが落ちてきた。（　　）

10 深さ一メートルのプールで泳ぐ。（　　）

11 昔は星がもっとたくさん見えた。（　　）

12 お昼の校内放送を聞く。（　　）

13 一番打者はイチローだ。（　　）

14 店でカレーライスを注文する。（　　）

15 口笛をふいて合図する。（　　）

16 農園でじゃがいもほりをした。（　　）

17 ラベンダー畑がとてもきれいだ。（　　）

18 この坂の上にはお寺がある。（　　）

19 氷の入ったコーラを飲む。

20 わたしは負けずぎらいだ。

21 デパートに洋服を買いに行く。

22 油でキャベツをいためる。

23 羊のあとを犬が追いかけている。

24 クジャクが羽を大きく開いた。

25 じゃんけんで勝負をつける。

26 名所の前で写真をとる。

27 車で家まで送ってあげる。

28 ロケットが打ち上げられた。

29 紙コップにお湯を注ぐ。

30 石油を運ぶタンカーが入港した。

31 悪事千里を走る

32 気分が悪いので学校を休んだ。

33 ラジオからすきな曲が流れてきた。

34 道が大きく左に曲がっている。

35 大きくなったら登山家になりたい。

36 かわいいリスが木に登っている。

37 動物園でゴリラを見た。

38 小さな生き物をかわいがる。

39 友人にメールしたが返事がない。

40 九九を声に出してくり返す。

B ランク

配当漢字表② 書き取り

目標時間 12分

合格ライン 23点

得点 ／28

月　日

● つぎの□の中に**漢字**を書きなさい。

1　[1]□《わる》いオオカミが[2]□《ひつじ》を食べようとねらっている。

2　ろう下を走らないよう[3]□《ちゅう》[4]□《い》された。

3　[5]□《よこ》に青い線の入った[6]□《ふく》を着ているのが姉だ。

4　世[7]□《かい》には[8]□《こおり》の中でくらしている人もいる。

5　アルバムを[9]□《ひら》くと[10]□《むかし》の思い出がよみがえる。

6　[11]□《かい》だんがぐるぐると[12]□《ま》がっているマンション。

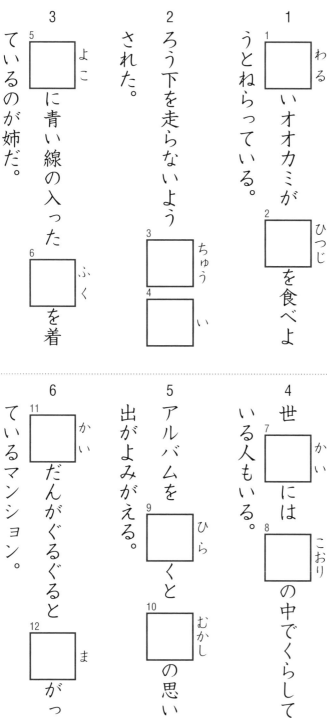

7　13□《のう》作14□《ぎょう》はとてもたいへんだとわかった。

8　石15□《ゆ》ストーブは車16□《こ》にしまってある。

9　17□《か》つか18□《ま》けるかやってみないとわからない。

10　ヒットを19□《う》ったときの写20□《しん》が新聞にのった。

11　21□《はたけ》の向こうに22□《ふか》い池があるらしい。

12　23□《さか》の上にテレビの放24□《そう》局がある。

13　弟は25□《ふえ》をふきながら26□《とう》校する。

14　イソップ27□《もの》語の本を28□《かえ》しに図書室に行く。

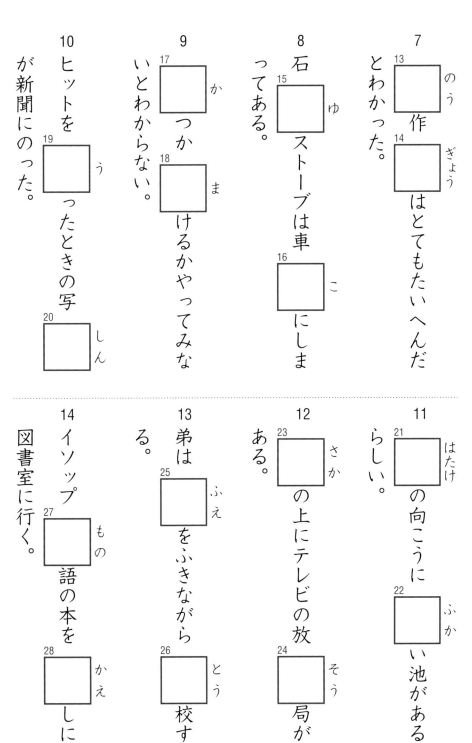

B ランク

配当漢字表③

漢字	読み	画数	部首	部首名	書きじゅん
化	音 カ ケ㊥ 訓 ば(ける) ば(かす)	4	匕	ひ	ノ イ 亻ノ 化
客	音 キャク カク㊥ 訓 —	9	宀	うかんむり	丶 丶丶 宀 宀ノ 宀ク 宀夂 宀夂丨 宀夂口 客
苦	音 ク 訓 くる(しい) くる(しむ) くる(しめる) にが(い) にが(る)	8	艹	くさかんむり	一 十 艹 艹 芉 苎 苦 苦
係	音 ケイ 訓 かか(る) かかり	9	亻	にんべん	ノ 亻 亻一 亻ㄑ 伭 伭 係 係 係
軽	音 ケイ 訓 かる(い) かろ(やか)㊥	12	車	くるまへん	一 厂 丙 百 亘 亘 車 軋 軔 軽 軽 軽
号	音 ゴウ 訓 —	5	口	くち	丶 口 口 旦 号

漢字	読み	画数	部首	部首名	書きじゅん
歯	音 シ 訓 は	12	歯	は	丨 卜 丬 止 乑 乑 歨 歨 歯 歯 歯 歯
写	音 シャ 訓 うつ(す) うつ(る)	5	冖	わかんむり	丶 冖 冖一 写 写
主	音 シュ ス㊩ 訓 ぬし おも	5	丶	てん	丶 亠 丰 主 主
重	音 ジュウ チョウ 訓 え おも(い) かさ(ねる) かさ(なる)	9	里	さと	一 二 千 肯 盲 盲 重 重 重
助	音 ジョ 訓 たす(ける) たす(かる) すけ㊥	7	力	ちから	丨 冂 月 月 且 助 助
乗	音 ジョウ 訓 の(る) の(せる)	9	ノ	の はらいぼう	一 二 三 乖 乖 乖 垂 乗 乗

「速」「追」の部首である「⻌」(しんにょう・しんにゅう)は、3画で書くとおぼえておこう!

漢字	読み（音）	読み（訓）	画数	部首	部首名	書きじゅん
身	シン	み	7	身	み	ノ 亻 门 门 自 自 身
神	シン ジン	かみ かん㊥ こう㊫	9	ネ	しめすへん	丶 ラ ネ ネ ネ 初 祀 祀 神
息	ソク	いき	10	心	こころ	ノ 亻 ń 白 自 自 自 息 息 息
速	ソク	はや(い) はや(める) はや(まる) すみ(やか)㊥	10	⻌	しんにょう しんにゅう	一 厂 戸 巨 申 東 束 束 速 速
代	ダイ タイ	か(わる) か(える) よ しろ㊥	5	イ	にんべん	ノ イ 仁 代 代
談	ダン	—	15	言	ごんべん	丶 亠 亖 言 言 言 言 訁 訁 訃 訟 訟 談 談 談
柱	チュウ	はしら	9	木	きへん	一 十 オ 木 朩 朩 杧 柱 柱
追	ツイ	お(う)	9	⻌	しんにょう しんにゅう	ノ 亻 户 户 白 自 自 追 追

漢字	読み（音）	読み（訓）	画数	部首	部首名	書きじゅん
定	テイ ジョウ	さだ(める) さだ(まる) さだ(か)㊫	8	宀	うかんむり	丶 丷 宀 宀 宇 宇 定 定
皮	ヒ	かわ	5	皮	けがわ	ノ 厂 广 皮 皮
鼻	ビ㊥	はな	14	鼻	はな	ノ 亻 ń 白 白 自 自 自 鳥 鳥 畠 畠 鼻 鼻
勉	ベン	—	10	力	ちから	ノ ク 个 各 缶 缶 免 免 免 勉
放	ホウ	はな(す) はな(つ) はな(れる) ほう(る)	8	攵	のぶん ぼくづくり	丶 亠 う 方 方 方 放 放
由	ユ ユウ ユイ㊫	よし㊫	5	田	た	丨 冂 巾 由 由
落	ラク	お(ちる) お(とす)	12	艹	くさかんむり	一 十 艹 艹 艹 芢 茳 茳 落 落 落 落
礼	レイ ライ㊫	—	5	ネ	しめすへん	丶 ラ ネ ネ 礼

B ランク

配当漢字表③読み

目標時間 **12** 分

合格ライン **32** 点

得点　　／40
月　日

● つぎの――線の**漢字**の**読みがな**を書きなさい。

1 お化けが出そうでこわい道。（　　）

2 店内は客でいっぱいだ。（　　）

3 係の人にカバンをあずける。（　　）

4 このコートはとても軽い。（　　）

5 友人の家の電話番号をメモする。（　　）

6 チョコの食べすぎで虫歯になる。（　　）

7 この本の主な読者は小学生だ。（　　）

8 姉は体重をいつも気にしている。（　　）

9 けがをしたツルを助ける。（　　）

10 白鳥の形をしたボートに乗る。（　　）

11 兄の身長は百八十センチもある。（　　）

12 神社で七五三をいわう。（　　）

13 坂道を走ったら息が切れた。（　　）

14 サッカーの日本代表が決まる。（　　）

15 どこに行くか相談して決める。（　　）

16 ネコがネズミを追いかけた。（　　）

17 宿題が予定より早く終わった。（　　）

18 ミカンの皮をむいて食べる。（　　）

19 春になると鼻がむずむずする。（　　）
20 本を買って漢字の勉強をする。（　　）
21 妹は持っていた風船を放した。（　　）
22 学校を休んだ理由を先生に話す。（　　）
23 かみなりが公園の木に落ちた。（　　）
24 プレゼントのお礼を言う。（　　）
25 兄は化学がすきだ。（　　）
26 皿を重ねてたなにしまう。（　　）
27 あのカメラマンには助手がいる。（　　）
28 このバスは前から乗車する。（　　）
29 神様にねがいごとをする。（　　）
30 ラーメン店で水のお代わりをする。（　　）

夏休みの工作を苦心して作った。 31（　　）
この場所には苦い思い出がある。 32（　　）
赤く色づいた山を写生する。 33（　　）
姉の顔をカメラで写す。 34（　　）
拾ったさいふの持ち主をさがす。 35（　　）
文の主語はどれかを考える。 36（　　）
速度を守って運転する。 37（　　）
リニアモーターカーは速い。 38（　　）
電柱の下にゴミがすててある。 39（　　）
柱時計がボーンと一回鳴った。 40（　　）

Bランク

配当漢字表③
書き取り

目標時間 12分

合格ライン 23点

得点 ／28

月　日

●つぎの□の中に**漢字**を書きなさい。

1 古 1 □《だい》の 2 □《か》石が見つかった。

2 大きな 3 □《きゃく》船に 4 □《の》って旅をする。

3 5 □《にが》手な理科の 6 □《べん》強をする。

4 お昼の校内 7 □《ほう》送をする 8 □《かかり》になる。

5 9 □《いき》を 10 □《かる》くはずませて友だちがやってきた。

6 11 □《じん》社で自分が引いた番 12 □《ごう》のおみくじをもらう。

7 きょうは 13□《は》医者に行く予 14□《てい》だ。

8 アイドルを 15□《お》いかけて 16□《しゃ》真をとる。

9 17□《しゅ》人公を 18□《たす》けるネコがあらわれた。

10 学校で 19□《しん》長と体 20□《じゅう》をはかる。

11 いつもより 21□《はや》く走れた理 22□《ゆう》をよく考えてみる。

12 相 23□《だん》にのってくれたお 24□《れい》を言う。

13 電 25□《ちゅう》のそばにバナナの 26□《かわ》がすててあった。

14 ねん土の人形の 27□《はな》が 28□《お》ちてしまった。

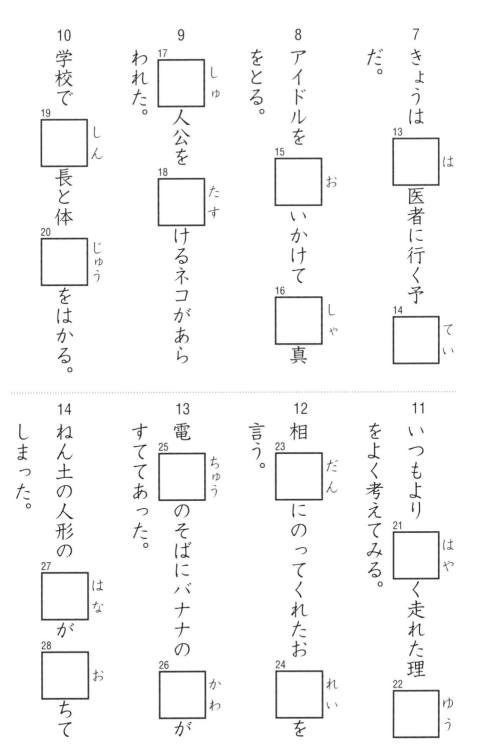

C ランク

配当漢字表①

漢字	読み	画数	部首	部首名	書きじゅん
医	音 イ　訓 ―	7	匸	かくしがまえ	一 ア 三 医
委	音 イ　訓 ゆだ(ねる)	8	女	おんな	一 二 千 禾 禾 委 委 委
院	音 イン　訓 ―	10	阝	こざとへん	7 3 阝 阝 阝 阝 阝 阝 院 院
温	音 オン　訓 あたた(か) あたた(かい) あたた(まる) あたた(める)	12	氵	さんずい	、 氵 氵 氵 氵 氵 氵 温 温 温 温 温
寒	音 カン　訓 さむ(い)	12	宀	うかんむり	、 〃 宀 宀 宀 宀 宀 宀 寒 寒 寒 寒
局	音 キョク　訓 ―	7	尸	かばね しかばね	㇇ コ 尸 局 局 局 局

漢字	読み	画数	部首	部首名	書きじゅん
君	音 クン　訓 きみ	7	口	くち	㇇ ヨ ヨ 尹 君 君 君
血	音 ケツ　訓 ち	6	血	ち	ノ 丿 白 血 血 血
詩	音 シ　訓 ―	13	言	ごんべん	、 ニ 三 言 言 言 言 言 詰 詩 詩 詩 詩
式	音 シキ　訓 ―	6	弋	しきがまえ	一 二 三 工 式 式
州	音 シュウ　訓 す㊥	6	川	かわ	， 丿 リ 州 州 州
商	音 ショウ　訓 あきな(う)㊥	11	口	くち	、 亠 亠 亠 产 产 产 商 商 商 商

「商」「章」など「ショウ」の音をもつ漢字は、「同じ読みの漢字」の問題でよく出題されるのでチェック！

漢字	読み（音）	読み（訓）	画数	部首	部首名	書きじゅん
章	ショウ	—	11	立	たつ	丶 亠 亠 亣 立 产 音 音 音 音 章
申	シン㊥	もう(す)	5	田	た	丨 冂 日 日 申
進	シン	すす(む) すす(める)	11	辶	しんにょう しんにゅう	ノ 亻 亻 亻 什 件 隹 隹 隹 進 進
題	ダイ	—	18	頁	おおがい	丨 日 旦 早 早 昰 是 是 是 題 題 題 題 題 題 題 題 題
炭	タン	すみ	9	火	ひ	丨 山 山 屵 岸 岸 岸 炭 炭
丁	チョウ テイ㊥	—	2	一	いち	一 丁
帳	チョウ	—	11	巾	はばへん きんべん	丨 口 巾 巾 巾 巾 帄 帄 帳 帳 帳
動	ドウ	うご(く) うご(かす)	11	力	ちから	一 二 千 千 千 台 重 重 重 動 動
童	ドウ	わらべ㊥	12	立	たつ	丶 亠 亠 亣 立 产 音 音 音 章 章 童

漢字	読み（音）	読み（訓）	画数	部首	部首名	書きじゅん
配	ハイ	くば(る)	10	酉	とりへん	一 厂 万 丙 两 酉 酉 酉 配 配
倍	バイ	—	10	亻	にんべん	ノ 亻 亻 亻 亻 位 位 倍 倍 倍
筆	ヒツ	ふで	12	⺮	たけかんむり	ノ ⺈ ⺮ ⺮ ⺮ 竺 竺 笙 笙 筆 筆 筆
秒	ビョウ	—	9	禾	のぎへん	一 二 千 禾 禾 利 利 秒 秒
病	ビョウ ヘイ㊪	や(む)㊥ やまい	10	疒	やまいだれ	丶 亠 广 广 疒 疒 疔 疔 病 病
問	モン	と(う) と(い) とん	11	口	くち	丨 冂 门 门 門 門 門 門 問 問 問
役	ヤク エキ㊥	—	7	彳	ぎょうにんべん	ノ 彡 彳 彳 彸 役 役
薬	ヤク	くすり	16	艹	くさかんむり	一 十 艹 艹 艹 苩 苩 苩 苩 苩 蕐 蕐 蕐 薬 薬 薬
有	ユウ ウ㊥	あ(る)	6	月	つき	ノ ナ 才 有 有 有

Cランク

配当漢字表①読み

目標時間 12分

合格ライン 32点

得点　　/40

月　日

● つぎの――線の**漢字**の**読みがな**を書きなさい。

1 大きくなったら医者になりたい。（　）

2 友だちがクラス委員になった。（　）

3 母は一ヶ月入院している。（　）

4 きょうは半そででは寒い。（　）

5 ゆうびん局ではがきを買う。（　）

6 石橋君と公園で遊ぶ。（　）

7 転んだらひざから血が出た。（　）

8 気に入った詩をおぼえる。（　）

9 おりたたみ式のかさをさす。（　）

10 九州は大雨になるそうだ。（　）

11 道ぞいに商店がたくさんある。（　）

12 作家はたくさんの文章を書く。（　）

13 スキー教室の申しこみをする。（　）

14 作文の題名を考える。（　）

15 炭の火でうなぎをやく。（　）

16 一丁の豆ふを半分に切る。（　）

17 思いついたことを手帳に書く。（　）

18 童話の本を買ってもらう。（　）

19 そばのつゆを二倍にうすめる。（　　）
20 大きな筆で字を書く。（　　）
21 百メートルを十秒で走る。（　　）
22 問屋から安く仕入れる。（　　）
23 市役所は駅の近くにある。（　　）
24 父はいつも食後に薬をのむ。（　　）
25 有名人からサインをもらう。（　　）
26 電話で係の人に問いあわせる。（　　）
27 汽車が石炭をはこんでいる。（　　）
28 薬局はスーパーの中にある。（　　）
29 漢字の問題を考える。（　　）
30 毛筆なのでよく読めない。（　　）

31 温室でイチゴを育てる。（　　）
32 温かいお茶を入れてもらう。（　　）
パレードの行進を見た。33（　　）
ボートがうしろに進んだ。34（　　）
きょうは運動会だ。35（　　）
時計が動かなくなった。36（　　）
雨がふらないか心配する。37（　　）
細かいことに気を配る。38（　　）
39 病気の友だちをはげます。（　　）
40 病は気から（　　）

C ランク

配当漢字表① 書き取り

目標時間 **12**分

合格ライン **23**点

得点 ／28

月　日

●つぎの□の中に**漢字**を書きなさい。

1 1□《い》者からもらった2□《くすり》を飲む。

2 体育3□《い》員の兄は文4□《しょう》を書くのが苦手だ。

3 入5□《いん》するための6□《もう》しこみ用紙を書く。

4 朝から気7□《おん》が上がらず8□《さむ》い一日となった。

5 この道を9□《すす》むとゆうびん10□《きょく》がある。

6 三11□《ちょう》目の白い家が橋本12□《くん》の家だ。

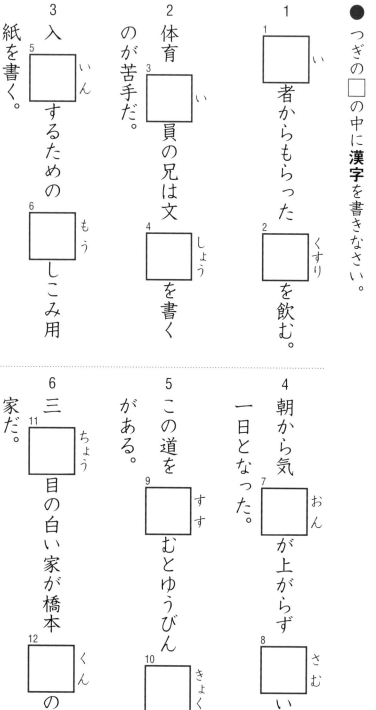

7 鼻13□《ち》が止まらないので心14□《ぱい》になった。

8 ふと思いついた15□《し》を手16□《ちょう》に書きとめる。

9 人気17□《やく》者のけっこん18□《しき》をテレビで見る。

10 九19□《しゅう》の一部で牛の20□《びょう》気がはやっていた。

11 21□《しょう》店がいにいつもの二22□《ばい》のお客が来た。

12 23□《もん》24□《だい》をよく読んでから答えを書く。

13 母が25□《どう》話を読むと十26□《びょう》もしないうちに弟はねた。

14 北海道の27□《ゆう》名な28□《どう》物園に行ってみたい。

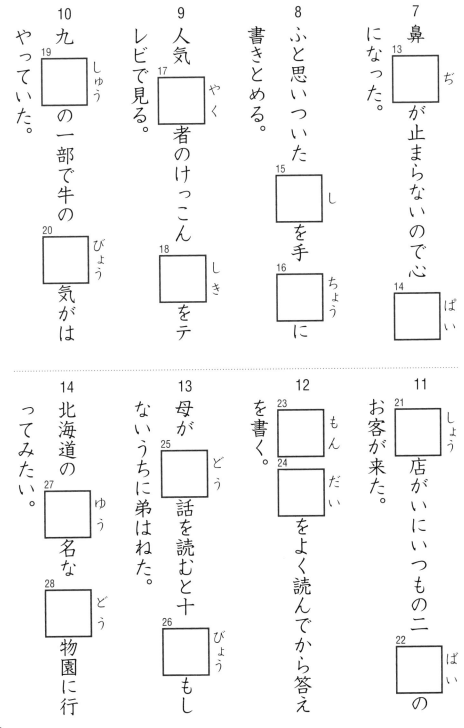

C ランク

配当漢字表②

漢字	読み	画数	部首	部首名	書きじゅん
漢	音 カン 訓 ―	13	氵	さんずい	丶 冫 氵 氵一 汁 汫 汫 泔 泔 泔 漢 漢 漢
級	音 キュウ 訓 ―	9	糸	いとへん	乙 幺 幺 糸 糸 糸 紉 級 級
宮	音 キュウ グウ㊥ ク㊟ 訓 みや	10	宀	うかんむり	丶 ⺍ 宀 宀 宀 宀 宀 宀 宮 宮
区	音 ク 訓 ―	4	匚	かくしがまえ	一 フ 又 区
県	音 ケン 訓 ―	9	目	め	丨 冂 月 月 目 旦 県 県 県
幸	音 コウ 訓 さいわ(い) さち㊥ しあわ(せ)	8	干	かん いちじゅう	一 十 土 去 去 幸 幸 幸

漢字	読み	画数	部首	部首名	書きじゅん
仕	音 シ ジ㊟ 訓 つか(える)	5	亻	にんべん	ノ 亻 仁 什 仕
死	音 シ 訓 し(ぬ)	6	歹	かばねへん いちたへん がつへん	一 厂 歹 歹 列 死
使	音 シ 訓 つか(う)	8	亻	にんべん	ノ 亻 仁 佢 佢 佢 使 使
者	音 シャ 訓 もの	8	耂	おいかんむり おいがしら	一 十 土 耂 耂 者 者 者
取	音 シュ 訓 と(る)	8	又	また	一 T F F E 耳 取 取
酒	音 シュ 訓 さけ さか	10	酉	ひよみのとり	丶 冫 氵 氵 汀 沂 洒 洒 酒 酒

「幸」「表」「平」のようにいろいろな読み方をする漢字は出題されやすい。きちんとおぼえておこう！

漢字	読み（音）	読み（訓）	画数	部首	部首名	書きじゅん
終	シュウ	お(わる)、お(える)	11	糸	いとへん	く 幺 幺 糸 糸 糸 紀 紀 終 終 終
宿	シュク	やど、やど(る)、やど(す)	11	宀	うかんむり	丶 丷 宀 宀 宀 宀 宀 宿 宿 宿 宿
昭	ショウ	—	9	日	ひへん	丨 冂 日 日 日 日 日 昭 昭
他	タ	ほか	5	亻	にんべん	ノ 亻 仂 仲 他
第	ダイ	—	11	⺮	たけかんむり	ノ ⺈ ⺮ ⺮ 竹 竹 笃 笃 笃 第 第
都	ト、ツ	みやこ	11	阝	おおざと	一 十 土 耂 耂 者 者 者 者 都 都
度	ド、ト㊫、タク㊥	たび㊥	9	广	まだれ	丶 亠 广 广 庐 庐 庐 度 度
投	トウ	な(げる)	7	扌	てへん	一 十 扌 扌 扒 投 投
豆	トウ、ズ	まめ	7	豆	まめ	一 丆 丆 丙 丙 豆 豆

漢字	読み（音）	読み（訓）	画数	部首	部首名	書きじゅん
等	トウ	ひと(しい)	12	⺮	たけかんむり	ノ ⺈ ⺮ ⺮ 竹 竹 竺 竺 笙 笙 等 等
悲	ヒ	かな(しい)、かな(しむ)	12	心	こころ	ノ 丿 ヨ ヨ 非 非 非 非 非 悲 悲 悲
表	ヒョウ	おもて、あらわ(す)、あらわ(れる)	8	衣	ころも	一 十 丰 主 声 表 表 表
部	ブ	—	11	阝	おおざと	丶 亠 亡 立 立 产 音 音 部 部 部
福	フク	—	13	礻	しめすへん	丶 ラ 礻 礻 礻 礻 礻 礻 礻 福 福 福 福
平	ヘイ、ビョウ	たい(ら)、ひら	5	干	かん いちじゅう	一 丆 丆 亚 平
命	メイ、ミョウ㊥	いのち	8	口	くち	ノ 人 亼 合 合 合 命 命
洋	ヨウ	—	9	氵	さんずい	丶 冫 氵 氵 氵 洋 洋 洋 洋
和	ワ、オ㊫	やわ(らぐ)㊥、やわ(らげる)㊥、なご(む)㊥、なご(やか)㊥	8	口	くち	ノ 二 千 禾 禾 利 和 和

C ランク

配当漢字表②読み

目標時間 12分

合格ライン 32点

得点 ／40

月　日

● つぎの ━━ 線の**漢字**の**読みがな**を書きなさい。

1 学校で漢字のテストがあった。（　　）
2 次は七級のテストを受けたい。（　　）
3 お宮とは神社のことだ。（　　）
4 地区ごとに委員を決める。（　　）
5 マツイは石川県の出身だ。（　　）
6 幸せの黄色いハンカチ。（　　）
7 死について話し合う。（　　）
8 お年玉を使ってゲームを買う。（　　）
9 七番打者がヒットを打った。（　　）

10 かばんからノートを取り出す。（　　）
11 父は日本酒がすきだ。（　　）
12 楽しい夏休みが終わった。（　　）
13 夕食の前に宿題をやっておく。（　　）
14 ぼくの父と母は昭和に生まれた。（　　）
15 他人の意見にも耳をかたむける。（　　）
16 安全第一で工事する。（　　）
17 都会は高いビルだらけだ。（　　）
18 プールの水の温度をはかる。（　　）

19 豆電球を二つならべてみる。（　　）
20 悲しくても明るい顔をする。（　　）
21 中学生の姉はバレー部だ。（　　）
22 福引きで旅行が当たった。（　　）
23 命の大切さを思い知る。（　　）
24 デパートで新しい洋服を買う。（　　）
25 二十才になるまで酒は飲めない。（　　）
26 弟はとてもひょうきん者だ。（　　）
27 ウィーンは音楽の都と言われる。（　　）
28 大豆でみそをつくる。（　　）
29 きょうとまる宿をさがす。（　　）
30 でこぼこ道を平らにする。（　　）

母は台所で仕事[31]をしている。（　　）
神父さんは神に仕[32]える人だ。（　　）

川に石を投[33]げて遊ぶ。（　　）
ピッチング練習している投手[34]。（　　）

ピザを等[35]しい大きさに分ける。（　　）
このくじの一等[36]はテレビだ。（　　）

わかったことを図表[37]にする。（　　）
うれしさを顔に表[38]した。（　　）

日本はとても平和[39]な国だ。（　　）
ぼくは平泳[40]ぎができる。（　　）

Cランク

配当漢字表②　書き取り

●つぎの□の中に**漢字**を書きなさい。

1　予定 1□《ひょう》を作って八 2□《きゅう》のための勉強をする。

2　お 3□《さけ》を飲むと父は 4□《しあわ》せそうな顔をする。

3　夏休みの 5□《しゅく》題はもう 6□《お》わらせた。

4　7□《まめ》を 8□《な》げてオニを外に出す。

5　9□《ふく》引きをしたら三 10□《とう》が当たった。

6　ぼくの 11□《よう》服は全 12□《ぶ》兄のお下がりだ。

目標時間　**5**分

合格ライン　**10**点

得　点　　／12

月　日

8級

第2章

テーマ別《べつ》
本試《し》験《けん》型《がた》問題

※それぞれの見開きごとに「目標《ひょう》時間」、「合格《かく》ライン」、「得《とく》点」のらんがあります。目標《ひょう》時間内に合格《かく》ラインの点数より多く得《とく》点できるよう、がんばりましょう。

※第2章の答えは別冊《べっさつ》33～35ページにあります。

A ランク

書きじゅん

目標時間 15分

合格ライン 29点

得点 ／36 月 日

●つぎの漢字の**太いところ**は、**何番め**に書きますか。○の中に**数字**を書きなさい。

1 悪 ○

2 安 ○

3 飲 ○

4 駅 ○

5 荷 ○

6 寒 ○

7 業 ○

8 君 ○

9 県 ○

10 幸 ○

11 港 ○

12 祭 ○

13 死 ○

14 詩 ○

15 写 ○

16 酒 ○

宿 17

昭 18

乗 19

身 20

整 21

速 22

第 23

炭 24

帳 25

都 26

湯 27

農 28

美 29

鼻 30

服 31

福 32

勉 33

薬 34

旅 35

緑 36

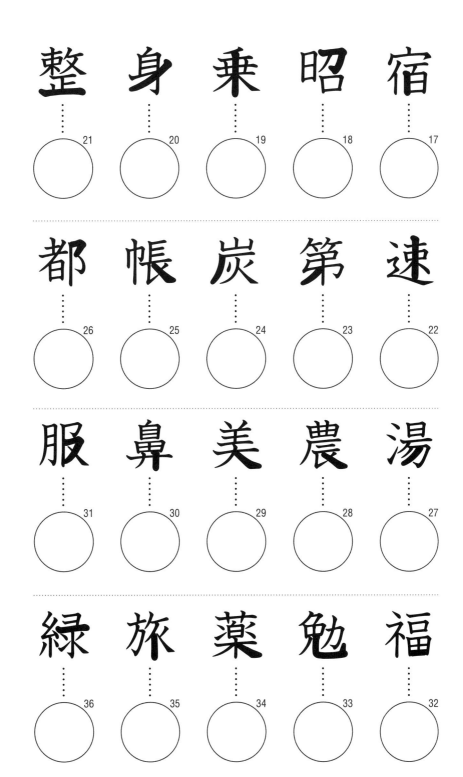

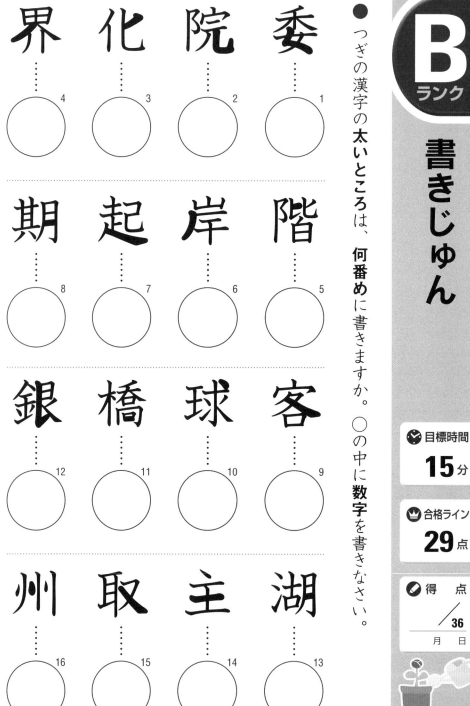

B ランク

書きじゅん

目標時間 **15**分

合格ライン **29**点

得　点　／**36**

月　日

つぎの漢字の**太いところ**は、**何番め**に書きますか。○の中に**数字**を書きなさい。

1 委

2 院

3 化

4 界

5 階

6 岸

7 起

8 期

9 客

10 球

11 橋

12 銀

13 湖

14 主

15 取

16 州

終 17

消 18

章 19

勝 20

神 21

進 22

世 23

他 24

追 25

鉄 26

島 27

童 28

皮 29

悲 30

氷 31

秒 32

負 33

落 34

両 35

列 36

A ランク

はんたい語

目標時間 **10**分

合格ライン **20**点

得点　　／24

月　日

●（　）の中に**漢字**を書いて、上と**はんたいのいみのことば**にしなさい。

よい―1（　《わる》）い

心配―2（　《あん》）心

明るい―3（　《くら》）い

たて―4（　《よこ》）

ねる―5（　《お》）きる

来年―6（　《きょ》）年

のばす―7（　《ま》）げる

楽しい―8（　《くる》）しい

重い―9（　《かる》）い

生まれる―10（　《し》）ぬ

終わる ― 11（　）《はじ》まる

落とす ― 12（　）《ひろ》う

寒い ― 13（　）《あつ》い

もやす ― 14（　）《け》す

あさい ― 15（　）《ふか》い

おくれる ― 16（　）《すす》む

自分 ― 17（　）《た》人

さんせい ― 反18（　）《たい》

にげる ― 19（　）《お》う

受ける ― 20（　）《な》げる

とう着 ― 出21（　）《ぱつ》

うれしい ― 22（　）《かな》しい

勝つ ― 23（　）《ま》ける

かた方 ― 24（　）《りょう》方

B
ランク

はんたい語

目標時間 **10**分

合格ライン **20**点

得　点
／24
月　日

●（　）の中に**漢字**を書いて、上と**はんたいのいみのことば**にしなさい。

まわり ― 中 1（　）《おう》

ぬぐ ― 2（　）《き》る

とじる ― 3（　）《ひら》く

高い ― 4（　）《やす》い

あまい ― 5（　）《にが》い

せめる ― 6（　）《まも》る

投げる ― 7（　）《う》ける

始まる ― 8（　）《お》わる

教える ― 9（　）《なら》う

軽い ― 10（　）《おも》い

11 ちらばる―（　）《あつ》まる

12 負ける―（　）《か》つ

13 おりる―（　）《の》る

14 今―（　）《むかし》

15 全体―（　）《ぶ》分

16 自分―（　）《あい》手

17 むかえる―（　）《おく》る

18 長い―（　）《みじか》い

19 下校―（　）《とう》校

20 止まる―（　）《うご》く

21 あつめる―（　）《くば》る

22 和服―（　）《よう》服

23 かりる―（　）《かえ》す

24 拾う―（　）《お》とす

A ランク

同じ部首の漢字

目標時間 18分

合格ライン 36点

得　点 ／44

月　日

● おなじなかまの漢字を□の中に書きなさい。

こころ（心）…

1 □《いき》切れ・2 □《きゅう》用

3 □《わる》口・4 □《かな》しい

用 5 □《い》・感 6 □《そう》

たけかんむり（⺮）…

たて 7 □《ぶえ》・本 8 □《ばこ》

9 □《ひと》しい・絵 10 □《ふで》

しんにょう しんにゅう（⻌）…

時 11 □《そく》・行 12 □《しん》

13 □《あそ》び・14 □《うん》動

15 □《へん》事・16 □《お》う

くさかんむり（艹）…

17 □《くる》しい・目 18 □《ぐすり》

19 □《に》物・言 20 □《ば》

うかんむり（宀）…

21 □《きゃく》室・22 □《まも》る

23 □《しゅく》題・24 □《みや》まいり

25 □《あん》心・木の 26 □《み》

きへん（木）…

黒 27 □《ばん》・つり 28 □《ばし》

電 29 □《ちゅう》・大 30 □《こん》

31 □《よこ》切る・王 32 □《さま》

さんずい（氵）…

水 33 □《えい》・石 34 □《ゆ》

35 □《けっ》定・気 36 □《おん》

太平 37 □《よう》・38 □《なが》れる

にんべん（亻）…

図書 39 □《がかり》・交 40 □《たい》

41 □《た》人・二 42 □《ばい》

43 □《す》む・44 □《し》事

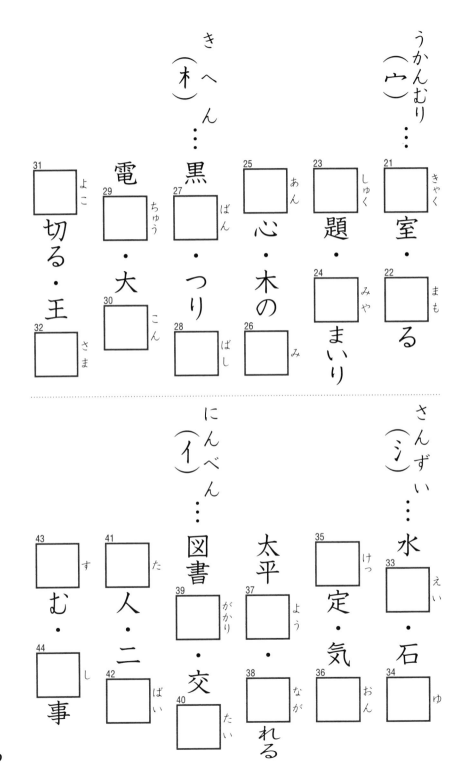

B ランク

同じ部首の漢字

🕒 目標時間 **16**分

合格ライン **31**点

得点　／38

月　日

● **おなじなかまの漢字を**□の中に書きなさい。

てへん（扌）…親1□《ゆび》・力2□《も》ち

3□《な》げる

しめすへん（礻）…4□《ふく》引き・5□《じん》社

お6□《れい》

かねへん（釒）…7□《てつ》道・金8□《ぎん》

こざとへん（阝）…一9□《かい》・入10□《いん》

太11□《よう》

いとへん（糸）…黄12□《みどり》・13□《れん》習

14□《お》わる

くるまへん（車）…15□《かる》い・回16□《てん》

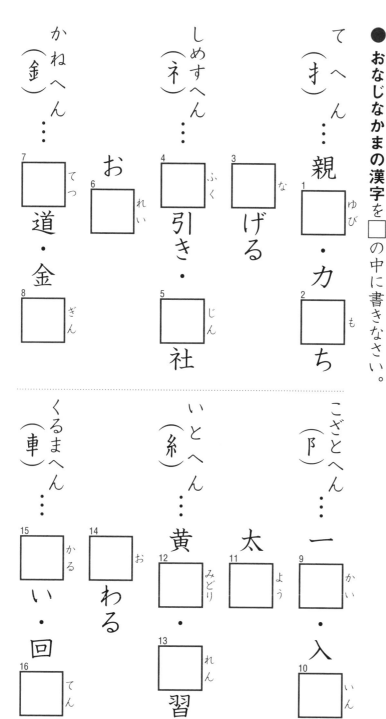

ごんべん（言）…… 17 □《し》人・相 18 □《だん》

19 □《しら》べる

ほうへん かたへん（方）…… 水 20 □《ぞく》館・21 □《りょ》行

ぎょうにんべん（彳）…… 22 □《ま》つ・主 23 □《やく》

まだれ（广）…… 中 24 □《にわ》・金 25 □《こ》

かばね しかばね（尸）…… 26 □《や》根・薬 27 □《きょく》

ちから（力）…… 28 □《たす》ける・29 □《べん》強

30 □《どう》物

おおがい（頁）…… 横 31 □《がお》・問 32 □《だい》

おおざと（阝）…… 古い 33 □《みやこ》・全 34 □《ぶ》

りっとう（刂）…… 整 35 □《れつ》・36 □《ぜん》後

はつがしら（癶）…… 37 □《とう》校・38 □《はつ》明

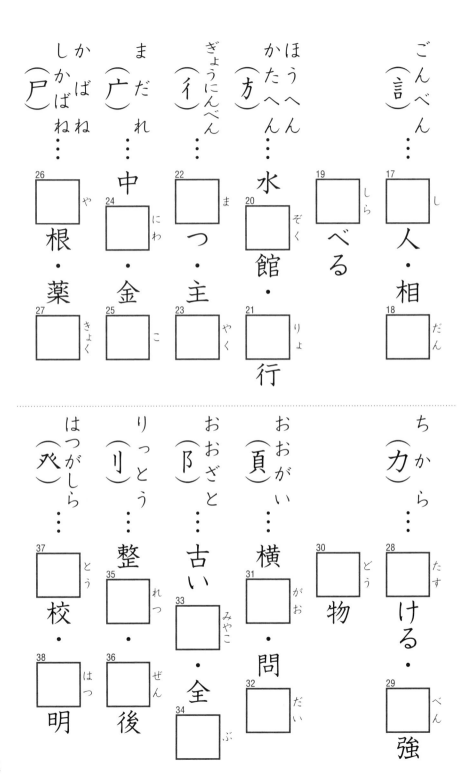

A ランク

同じ読みの漢字

目標時間 13分

合格ライン 26点

得点 ／32 月 日

● つぎの（　）の中に**漢字**を書きなさい。

1. 学級委（　）《いん》に手をあげる。
2. 妹は入（　）《いん》している。
3. はん人がつかまって（　）《あん》心する。
4. 算数の公式を（　）《あん》記する。
5. いつか世（　）《かい》を旅してみたい。
6. 音楽室は二（　）《かい》にある。

7. 大学でウイルスの研（　）《きゅう》をする。
8. テレビで高校野（　）《きゅう》を見る。
9. ラジオからすきな（　）《きょく》が流れる。
10. ゆうびん（　）《きょく》で切手を買う。
11. 母が子どものときの写（　）《しん》を見る。
12. 弟は急に（　）《しん》長がのびた。

九13（　　）《しゅう》に大雨がふった。

五時間目は14（　　）《しゅう》字の時間だ。

母はスーパーで15（　　）《し》事をしている。

火事でたくさんの16（　　）《し》者が出た。

火が出てもすぐに17（　　）《しょう》火した。

人が感動する文18（　　）《しょう》を書く。

用紙に19（　　）《じゅう》所と名前を書く。

ぼくの体20（　　）《じゅう》は三十キロだ。

サッカーの放21（　　）《そう》を楽しみにする。

読んだ本の感22（　　）《そう》を話す。

宿23（　　）《だい》を早くすませる。

昭和の時24（　　）《だい》について学ぶ。

半25（　　）《とう》の名前をおぼえる。

朝食に26（　　）《とう》ふを食べる。

五十メートルを八27（　　）《びょう》で走る。

母の28（　　）《びょう》気がなおる。

自29（　　）《ゆう》帳にらくがきをする。

おとなになったら30（　　）《ゆう》名になりたい。

夏の太31（　　）《よう》がまぶしい。

新しい32（　　）《よう》服を着て出かける。

B ランク

同じ読みの漢字

目標時間 13分

合格ライン 26点

得点 ／32

月　日

● つぎの（　）の中に**漢字**を書きなさい。

午後は運動会の用1（　い　）をする。
大学生の兄は2（　い　）学の道に進んだ。

この店は十時の3（　かい　）店だ。
4（　かい　）画教室にかよう。

父は5（　きゅう　）用で会社を休んだ。
つぎの6（　きゅう　）の漢字を勉強する。

テレビドラマに7（　かん　）動する。
水族8（　かん　）でエイを見た。

スーパーで出9（　けっ　）サービスしている。
つぎは勝つと10（　けっ　）意する。

紙を作るのに木をたくさん11（　し　）用する。
テスト開12（　し　）の合図をする。

大通りでガスの工13（　）《じ》をやっている。

14（　）《じ》回のドラマを楽しみにする。

学校に八時に15（　）《しゅう》合する。

もうすぐ16（　）《しゅう》点の駅だ。

17（　）《しょう》店がいはお客さんでいっぱいだ。

弟とじゃんけんの18（　）《しょう》負をする。

父が手19（　）《ちょう》をなくした。

みそしるに豆ふを一20（　）《ちょう》入れる。

公園の池を21（　）《しゃ》生する。

作22（　）《しゃ》の言いたかったことを考える。

子どもに23（　）《どう》話の本を読み聞かせる。

姉はボランティア活24（　）《どう》をしている。

青い25（　）《ふく》を着ているのがぼくの兄だ。

家族みんなで大26（　）《ふく》もちを食べる。

これはまだ27（　）《ひょう》山の一角にすぎない。

すきな役者が28（　）《ひょう》紙をかざった本。

友だちがおこっている理29（　）《ゆう》を聞く。

日曜日の30（　）《ゆう》園地はこんでいる。

31（　）《やく》品を入れると赤くなった。

32（　）《やく》に立たないものを買った。

A ランク

おくりがな

目標時間 10分
合格ライン 14点
得点 ／17
月　日

● つぎの――線の**カタカナ**を○の中の**漢字**と**おくりがな（ひらがな）**で□の中に書きなさい。

〈れい〉㊅大 **オオキイ**花がさく。　大きい

1 ㊅暗 明かりがないので**クライ**。 1□

2 ㊅育 学校でウサギを**ソダテル**。 2□

3 ㊅苦 高い山の上だと息が**クルシイ**。 3□

4 ㊅始 九月から新学期が**ハジマル**。 4□

5 ㊅受 友だちからのボールを**ウケル**。 5□

6 ㊅集 たくさんの人が広場に**アツマル**。 6□

7 ㊅重 ふとんを二まい**カサネル**。 7□

8
植
花だんにパンジーを**ウエル**。
8

9
整
つくえの上を**トトノエル**。
9

10
注
コップに水を**ソソグ**。
10

11
定
五月四日を休みの日に**サダメル**。
11

12
転
古いタイヤを**コロガス**。
12

13
等
ヒトシイ大きさに切り分ける。
13

14
悲
ペットのネコが死んで**カナシイ**。
14

15
美
まどから見える海が**ウツクシイ**。
15

16
平
ヒラタイ皿に魚をのせる。
16

17
流
雨水が地下を**ナガレル**。
17

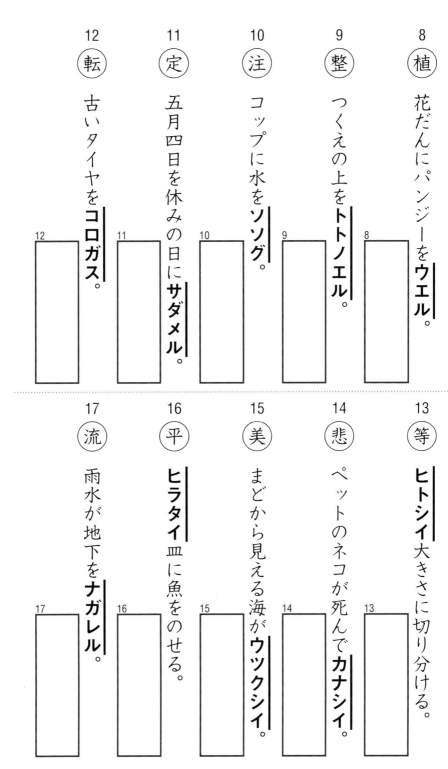

B ランク

おくりがな

目標時間 **10**分

合格ライン **14**点

得点 ／17

月　日

● つぎの——線の**カタカナ**を○の中の**漢字**と**おくりがな（ひらがな）**で□の中に書きなさい。

〈れい〉（大）**オオキイ**花がさく。　［大きい］

1 （運）トラックで荷物を**ハコブ**。　1［　　］

2 （温）エアコンで部屋を**アタタメル**。　2［　　］

3 （開）病院の近くに店を**ヒラク**。　3［　　］

4 （起）いつも朝七時に**オキル**。　4［　　］

5 （決）旅行の行き先を**キメル**。　5［　　］

6 （向）有名人にマイクを**ムケル**。　6［　　］

7 （写）きれいな花をカメラで**ウツス**。　7［　　］

8 調 本でカブトムシについてシラベル。

9 助 おぼれている人をタスケル。

10 消 ボタンをおすと明かりがキエル。

11 短 ぼくの父は気がミジカイ。

12 動 まどの近くにつくえをウゴカス。

8

9

10

11

12

13 投 遠くにボールをナゲル。

14 配 駅前で風船をクバル。

15 負 二対一でおしくもマケル。

16 味 とれたばかりの魚をアジワウ。

17 遊 公園で犬とアソブ。

13

14

15

16

17

第1回 8級 もぎ試験問題 答え

別冊《べっさつ》 2～7ページ

1

1 はな
2 あつ
3 ゆ
4 しゅご
5 いき
6 にかい
7 ば
8 かる
9 き
10 とかい
11 まも
12 じめん
13 し
14 お
15 さら
16 けんきゅう
17 こひつじ
18 はこ
19 ふか
20 ひっさん
21 きかん
22 はし
23 う
24 つうがくろ
25 どうわ
26 はんたい
27 よこ
28 まつ
29 くうこう
30 ようす

2

1 4
2 3
3 6
4 4
5 3
6 9
7 4
8 7
9 8
10 10

3

1 安
2 短
3 両
4 死
5 消

4

1 悲
2 感
3 進
4 運
5 登
6 発
7 助
8 勉
9 宮
10 客

5

1 州
2 習
3 院
4 員
5 有
6 由
7 急
8 球
9 住
10 重

6

1 温かい
2 美しい
3 開いて
4 流れる
5 味わう

7

1 してい
2 ゆび
3 りょこう
4 たび
5 ととの
6 せいり
7 ち
8 しゅっけつ
9 の
10 じょうしゃ

8

1 昔
2 具
3 落
4 拾
5 運
6 板
7 客
8 意
9 育
10 練
11 事
12 調
13 宿
14 遊
15 陽
16 湖
17 医
18 者
19 庭
20 氷

第2回　8級　もぎ試験問題　答え

別冊《べっさつ》 8～13ページ

1

1 めいちゅう　2 な　3 はし　4 の
5 うつく　6 みや　7 ゆび　8 かわ
9 じき　10 けんどう　11 もう　12 いけん
13 れい　14 さむ　15 こおり　16 しゃこ
17 たいよう　18 くちぶえ　19 ばん
20 のうか　21 ちゅうおう　22 くば
23 みずうみ　24 お　25 なみ
26 ぶんしょう　27 よそう　28 ぎん
29 そだ　30 つか

2

1 14　2 5　3 10　4 5　5 12
6 10　7 12　8 12　9 10　10 5

3

1 負　2 終　3 去　4 起　5 悲

4

1 注　2 泳　3 屋　4 局　5 柱
6 横　7 代　8 倍　9 苦　10 荷

5

1 委　2 医　3 真　4 進　5 丁
6 帳　7 事　8 次　9 相　10 送

6

1 返す　2 化ける　3 整える
4 等しい　5 重ねる

7

1 じつりょく　2 み　3 はや　4 そくど
5 はし　6 ほどうきょう　7 くうこう
8 みなと　9 こんき　10 ね

8

1 駅　2 商　3 緑　4 葉　5 転
6 界　7 館　8 号　9 畑　10 温
11 有　12 勉　13 皿　14 持　15 面
16 向　17 神　18 住　19 岸　20 味

Point

7級の出題内容《よう》と得点《とく》のポイント

7級で出題される漢字

7級で出題される漢字は小学4年生までの642字です。7級配当漢字の202字がよく出題されます。

1 読み
漢字の読みをひらがなで答える問題です。「じ」と「ぢ」、「ず」と「づ」は正しく書き分けましょう。

2 同じ漢字の音訓読み
一つの漢字の音読みと訓読みを答える問題です。

3 漢字えらび
カタカナ部分の漢字を選択肢《せんたくし》からえらんで答えます。じゅく語の意味を考えるようにしましょう。

4 画数
漢字の太くなったところの画数と総画数を答える二つの問題になっています。

5 音読み・訓読み
漢字にふられたふりがなが音読みか訓読みかを答える問題です。7級配当漢字の訓読みがよく出ます。

6 対義語《ぎ》
意味が反対や対《つい》になることばになるように、選択肢《せんたくし》からひらがなをえらんで漢字になおす問題です。

7 送りがな
カタカナ部分を漢字と送りがなになおす問題です。

8 同じ部首の漢字
しめされた部首を持つ漢字を答える問題です。

9 同じ読みの漢字
同じ読み方をするちがう漢字を答える問題です。

10 じゅく語作り
一つの漢字の上と下に別々の漢字を組み合わせて、二つのじゅく語を作る問題です。

11 書き取り
カタカナ部分にあてはまる漢字を答える問題です。

7級

第3章

配当漢字表と「読み」・「書き取り」の問題

※「読み」・「書き取り」の問題では、見開きごとに「目標時間」、「合格《かく》ライン」、「得《と》点」のらんがあります。目標時間内に合格《かく》ラインの点数より多く得《と》点できるよう、がんばりましょう。

※第3章の答えは別冊《べっさつ》36～42ページにあります。

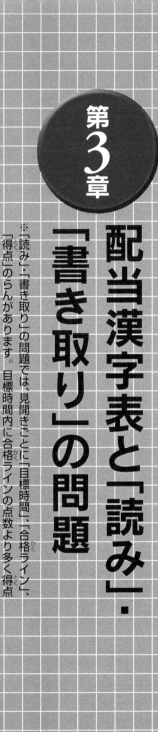

A ランク

配当漢字表①

漢字	読み	画数	部首	部首名	筆順
愛	音 アイ／訓 ―	13	心	こころ	ノ ⺈ ⺈ ⺤ ⺤ 爫 爫 悉 悉 愛 愛 愛 愛
茨	音 ―／訓 いばら	9	艹	くさかんむり	一 十 艹 艹 艹 艹 茨 茨 茨
媛	音 エン㊥／訓 ―	12	女	おんなへん	く 女 女 女 女 女 女 女 媛 媛 媛 媛
岡	音 ―／訓 おか	8	山	やま	丨 冂 冂 円 円 冈 岡 岡
芽	音 ガ／訓 め	8	艹	くさかんむり	一 十 艹 艹 芒 芒 芽 芽
賀	音 ガ／訓 ―	12	貝	かい・こがい	フ カ カ 加 加 加 賀 賀 賀 賀 賀 賀

漢字	読み	画数	部首	部首名	筆順
街	音 ガイ・カイ㊥／訓 まち	12	行	ぎょうがまえ・ゆきがまえ	ノ ク 彳 彳 往 往 往 往 往 往 往 街
岐	音 キ㊥／訓 ―	7	山	やまへん	丨 山 山 山 岐 岐 岐
競	音 キョウ・ケイ／訓 きそ(う)㊥・せ(る)(高)	20	立	たつ	丶 亠 亠 立 立 产 音 音 音 竟 竟 竟 竟 竟 竟 競 競 競 競 競
群	音 グン／訓 む(れる)・む(れ)・むら	13	羊	ひつじ	フ ヨ ヨ 尹 君 君 君 君 君 君 群 群 群
滋	音 ジ㊥／訓 ―	12	氵	さんずい	丶 丶 氵 氵 氵 氵 氵 氵 滋 滋 滋 滋
鹿	音 ―／訓 しか・か	11	鹿	しか	丶 亠 广 广 户 户 户 户 鹿 鹿 鹿

「芽」「街」「折」「束」「仲」などの漢字の訓読みが、「音読み・訓読み」の問題で出題されやすいよ。

※「読み」のらんの（ ）内は送りがなです。㊥は中学校で習う読み、(高)は高校で習う読みのことで、どちらも出題されません。

漢字	焼	照	城	静	折	東	仲	奈
読み	音 ショウ㊥ 訓 や(く) や(ける)	音 ショウ 訓 て(る) て(らす) て(れる)	音 ジョウ 訓 しろ	音 セイ ジョウ㊥ 訓 しず しず(か) しず(まる) しず(める)	音 セツ 訓 お(る) おり お(れる)	音 ソク 訓 たば	音 チュウ㊥ 訓 なか	音 ナ 訓 ―
画数	12	13	9	14	7	7	6	8
部首	火	灬	土	青	扌	木	亻	大
部首名	ひへん	れんが れっか	つちへん	あお	てへん	き	にんべん	だい
筆順	丶 丷 火 火 灶 灶 灶 灶 焼 焼 焼 焼	丨 冂 日 日 昭 昭 昭 昭 昭 照 照 照 照	一 十 土 圠 圻 城 城 城 城	一 十 丰 丰 青 青 青 青 青 静 静 静 静 静	一 十 扌 扌 扩 折 折	一 厂 币 申 申 東 東	ノ 亻 亻 仲 仲 仲	一 ナ 大 太 夲 夲 奈 奈

漢字	熱	阪	飛	阜	富
読み	音 ネツ 訓 あつ(い)	音 ハン㊥ 訓 ―	音 ヒ 訓 と(ぶ) と(ばす)	音 フ 訓 ―	音 フ フウ㊕ 訓 と(む) とみ
画数	15	7	9	8	12
部首	灬	阝	飛	阜	宀
部首名	れんが れっか	こざとへん	とぶ	おか	うかんむり
筆順	一 十 土 主 夫 坴 坴 坴 埶 埶 埶 埶 熱 熱 熱	了 了 阝 阝 阪 阪 阪	飞 飞 飞 飞 飞 飞 飞 飛 飛	ノ 亻 户 户 白 自 自 阜	丶 丷 宀 宀 宀 宀 宀 宀 富 富 富 富

都道府県名に使われる漢字の読み方が特別なもの

愛媛県《えひめけん》	茨城県《いばらきけん》	岐阜県《ぎふけん》	鹿児島県《かごしまけん》
滋賀県《しがけん》	宮城県《みやぎけん》	神奈川県《かながわけん》	鳥取県《とっとりけん》
大阪府《おおさかふ》	富山県《とやまけん》	大分県《おおいたけん》	奈良県《ならけん》

A ランク

配当漢字表①読み

目標時間 15分

合格ライン 27点

得点　／39　月　日

● 次の——線の**漢字の読み**を**ひらがな**で答えのらんに書きなさい。

1 茨城県はレンコンの名産地だ。（　　）（　　）

2 しまなみ海道から愛媛県に行く。（　　）（　　）

3 大分県のおばの家にとまる。（　　）（　　）

4 愛犬と公園を走り回る。（　　）（　　）

5 ヒマワリの芽が出てきた。（　　）（　　）

6 街角でちらしをもらった。（　　）（　　）

7 青い空を白いハトが飛んでいく。（　　）（　　）

8 新聞紙でかぶとを折る。（　　）（　　）

9 サンマがおいしそうに焼けた。（　　）（　　）

10 神奈川県の県庁《ちょう》所在《ざい》地は横浜《よこはま》市だ。（　　）（　　）

11 奈良時代の遺跡《いせき》を調査《さ》する。（　　）（　　）

12 岐阜県には白川郷《しらかわごう》がある。（　　）（　　）

13 クラスの仲間と夏祭りに行く。（　　）（　　）

14 大阪市でくしカツを食べた。（　　）（　　）

15 富山県の名物料理をいただく。（　　）（　　）

16 岡山県と言えば桃太郎《ももたろう》だ。（　　）（　　）

17 年賀はがきを買った。（　　）（　　）

18 群馬県から東京に通っている。（　　）（　　）

19 滋賀県には日本一大きい湖がある。

20 鹿児島市の桜島《さくらじま》をおとずれる。

21 松島は宮城県の景勝地だ。

22 子鹿がこちらをじっと見ていた。

23 福岡市の野球場へ行く。

24 運動会の徒競走に出場する。

25 競馬場に行って初めて馬を見た。

26 会場の中では静かにしてください。

27 気分が悪いので安静にする。

28 友人と公園で会う約束をした。

29 いらない本をひもで束ねる。

30 夏なので日照時間が長くなった。

31 太陽が地面をじりじりと照らした。

32 兄が熱心に勉強を教えてくれた。

33 熱いお湯をカップに注ぐ。

34 水牛の大群が川をわたる。

35 アリがさとうに群がっている。

36 昔は城下町として栄えた。

37 城の門は固くとざされていた。

38 豊富な食料を手に入れる。

39 変化に富んだ地形が続く。

A ランク

配当漢字表① 書き取り

目標時間 20分

合格ライン 28点

得点 ／40

月　日

● 次の――線の**カタカナ**を**漢字**になおして答えのらんに書きなさい。

1 **イバラ**の道が続いている。（　　）

2 愛《え》**ヒメ**県でミカン農家をいとなむ。（　　）

3 新幹《かん》線で**オカ**山県に向かう。（　　）

4 うちゅう**ヒ**行士《し》になりたい。（　　）

5 **シ**賀県の琵《び》琶《わ》湖の近くに住む。（　　）

6 **シカ**の角が生えかわる。（　　）

7 古い**ジョウ**門のあとが残っている。（　　）

8 神《か》**ナ**川県から東京に通っている。（　　）

9 **グン**馬県の前橋市《まえばし》に行く。（　　）

10 大**サカ**府の人口を調べる。（　　）

11 いつも兄弟で**ナカ**良く遊ぶ。（　　）

12 祖《そ》父は一代で**トミ**をきずいた。（　　）

13 **トッ**取県は母のふるさとだ。（　　）

14 夏休みに**ト**山県に行った。（　　）

15 大**イタ**県産のサバを味わう。（　　）

16 **ケイ**馬場へ足を運ぶ。（　　）

17 有名な**シロ**を写生した。（　　）

18 冬は**セイ**電気がおこりやすい。（　　）

19 **カ**児《ご》島からフェリーに乗った。

20 宮**ギ**県の仙台《せんだい》市に向かった。

21 **ナ**良《ら》県の東大寺《とうだいじ》で大仏《ぶつ》を見る。

22 **アイ**読している本を教えてもらう。

23 ジャガイモから**メ**がのびる。

24 駅前商店**ガイ**は客でいっぱいだ。

25 五十メートル**キョウ**走で一位になる。

26 あみの上でもちを**ヤ**いて食べた。

27 暗いので**ショウ**明を明るくする。

28 図書館では**シズ**かにしなさい。

29 強い風でかさのほねが**オ**れた。

30 バラの花**タバ**をプレゼントする。

31 ツルの**ム**れが大空をわたっていく。

32 鉄は**アツ**いうちに打て

33 うそはつかないと約**ソク**する。

34 月が水面を**テ**らす。

35 自動車が交差点を左**セツ**した。

36 えんどう豆が発**ガ**した。

37 サッカーの試合に**ネッ**中する。

38 上空をヘリコプターが**ト**んでいる。

39 岐《ぎ》**フ**県北部はほぼ山地となっている。

40 **フ**士山《じさん》を電車からながめる。

配当漢字表②

漢字	読み	画数	部首	部首名	筆順
栄	音 エイ 訓 さか(える) は(え)高 は(える)高	9	木	き	丶 丷 ⺍ ⺍ 〻 ⺌ 学 栄 栄
覚	音 カク 訓 おぼ(える) さ(ます) さ(める)	12	見	みる	丶 丷 ⺍ ⺍ ⺌ 学 学 学 学 覚 覚 覚
潟	音 ― 訓 かた	15	氵	さんずい	丶 氵 氵 氵 氵 泊 泊 泊 泊 潟 潟 潟 潟 潟 潟
願	音 ガン 訓 ねが(う)	19	頁	おおがい	一 厂 厂 厂 厈 原 原 原 原 原 原 原 原 原 願 願 願 願 願
熊	音 ― 訓 くま	14	灬	れんが れっか	厶 厶 㐬 育 育 育 能 能 能 能 能 熊 熊 熊
香	音 コウ中 キョウ高 訓 か かお(り) かお(る)	9	香	か かおり	一 二 千 禾 禾 禾 香 香 香

漢字	読み	画数	部首	部首名	筆順
残	音 ザン 訓 のこ(る) のこ(す)	10	歹	かばねへん いちたへん がつへん	一 厂 歹 歹 歹 歹 残 残 残 残
借	音 シャク 訓 か(りる)	10	亻	にんべん	ノ 亻 仁 什 什 借 借 借 借 借
祝	音 シュク シュウ高 訓 いわ(う)	9	礻	しめすへん	丶 ラ 礻 礻 礻 祀 祀 祝 祝
笑	音 ショウ中 訓 わら(う) え(む)中	10	⺮	たけかんむり	ノ 𠂉 ⺮ ⺮ ⺮ ⺮ 竺 竺 笑 笑
唱	音 ショウ 訓 とな(える)	11	口	くちへん	丨 口 口 口 口 口 口 口 唱 唱 唱
縄	音 ジョウ中 訓 なわ	15	糸	いとへん	𡿨 幺 幺 糸 糸 糸 糸 糸 糸 糸 糸 糸 糸 糸 縄

「送りがな」の問題には、「覚」がよく出るよ。二つの訓読みのどちらも、送りがなを覚えておこう。

漢字	読み	画数	部首	部首名	筆順
井	音 セイ(高) ショウ(中) 訓 い	4	二	に	一 二 井 井
積	音 セキ 訓 つ(む) つ(もる)	16	禾	のぎへん	ノ 二 千 禾 禾 秆 秆 秆 秸 秸 積 積 積 積 積 積
然	音 ゼン ネン 訓 ―	12	灬	れんが れっか	ノ ク 夕 夕 夕 外 狄 狄 然 然 然 然
巣	音 ソウ(高) 訓 す	11	⺍	つかんむり	ヽ ⺍ ⺍ ⺍ 当 当 当 当 単 単 巣
続	音 ゾク 訓 つづ(く) つづ(ける)	13	糸	いとへん	く 幺 幺 糸 糸 糸 紅 紆 紆 紆 続 続 続
置	音 チ 訓 お(く)	13	罒	あみがしら あみめ よこめ	丶 冂 冂 罒 罒 罒 罒 罝 罝 罝 罝 置 置
沖	音 チュウ(高) 訓 おき	7	氵	さんずい	丶 冫 氵 氵 沪 沪 沖
的	音 テキ 訓 まと	8	白	しろ	ノ 亻 白 白 白 的 的 的

漢字	読み	画数	部首	部首名	筆順
典	音 テン 訓 ―	8	八	は	丨 冂 巾 曲 曲 曲 典 典
徳	音 トク 訓 ―	14	彳	ぎょうにんべん	ノ ク 彳 彳 彳 彳 彳 徳 徳 徳 徳 徳 徳 徳
梨	音 ― 訓 なし	11	木	き	一 二 千 禾 禾 利 利 利 梨 梨 梨
念	音 ネン 訓 ―	8	心	こころ	ノ 人 今 今 今 念 念 念
変	音 ヘン 訓 か(わる) か(える)	9	夂	すいにょう ふゆがしら	丶 亠 ナ 亣 亦 亦 亦 亦 変
利	音 リ 訓 き(く)(高)	7	刂	りっとう	ノ 二 千 禾 禾 利 利
輪	音 リン 訓 わ	15	車	くるまへん	一 𠃌 冂 百 百 亘 車 軟 軡 軡 軡 輪 輪 輪 輪
冷	音 レイ 訓 つめ(たい) ひ(える) ひ(や) ひ(やす) ひ(やかす) さ(める) さ(ます)	7	冫	にすい	丶 冫 冫 冫 冷 冷 冷

A ランク

配当漢字表②読み

目標時間 15分

合格ライン 28点

得点 ／40

月　日

● 次の——線の**漢字の読み**を**ひらがな**で答えのらんに書きなさい。

1 熊本城を遠くからながめる。（　　）

2 兄のチームが勝てるように願う。（　　）

3 自然をもっと大切にしよう。（　　）

4 鳥が来るように巣箱を作る。（　　）

5 テーブルの配置を変える。（　　）

6 学校の図書室をよく利用する。（　　）

7 広場で一輪車の練習をする。（　　）

8 部屋に香りのよい花をかざる。（　　）

9 井戸の水がにごってきた。（　　）

10 プレゼントで百科事典をもらう。（　　）

11 念には念を入れよ（　　）

12 笑う門《かど》には福きたる（　　）

13 天然ものの魚を食べる。（　　）

14 徳用のせんざいを買う。（　　）

15 山梨県はブドウの産地だ。（　　）

16 新潟県は有数の米どころだ。（　　）

17 福井県でカニを食べた。（　　）

18 飛行機で沖縄県に行った。（　　）

19 徳島県でうず潮《しお》を見る。（　　）
20 香川県でうどんを食べた。（　　）
21 野生動物が縄ばりを争う。（　　）
22 先生はみんなのあこがれの的だ。（　　）
23 夕食のコロッケが一つ残った。（　　）
24 友人から本を借りた。（　　）
25 兄の退院《たいいん》祝いをした。（　　）
26 大会優勝《ゆうしょう》の祝賀会が開かれる。（　　）
27 むずかしい漢字を覚えた。（　　）
28 ふと夜中に目が覚めた。（　　）
29 冷えた体をストーブで温める。（　　）
30 早く冷たい水が飲みたい。（　　）

31 雨の日が五日間も続いた。（　　）
32 プロジェクトを続行する。（　　）
33 四角形の面積を求める。（　　）
34 雪が降《ふ》り積もっている。（　　）
35 オリンピックで栄光をつかむ。（　　）
36 早くから栄えた都市だ。（　　）
37 国語の時間に詩を暗唱する。（　　）
38 おまじないの言葉を唱える。（　　）
39 弟が鏡の前で変な顔をした。（　　）
40 信号が赤に変わった。（　　）

A ランク

配当漢字表② 書き取り

目標時間 20分

合格ライン 30点

得点 ／42

月　日

● 次の——線のカタカナを漢字になおして答えのらんに書きなさい。

1 シャッ金をしてはならない。

2 クマ本県の観光名所をめぐる。

3 梅《うめ》のカオりが辺りにただよっている。

4 ナワとびをして遊んだ。

5 イの中のかわず大海を知らず

6 ボートでオキへこぎ出した。

7 二時間目は道トクの時間だ。

8 新ガタ県出身の友人がいる。

9 百科事テンを読むのが好きだ。

10 反対意見をトナえる。

11 カ川県の高松《たかまつ》市で生まれた。

12 福イ県の恐竜博物館《きょうりゅうはくぶつかん》に行く。

13 トク島県はあわおどりで有名だ。

14 万博《ばんぱく》の記ネン切手を買う。

15 新しい産業がサカえる。

16 ノコり物には福がある

17 入学をイワってごちそうを食べる。

18 今泣いたからすがもうワラう

19 遠足の日が晴れることをネガう。
20 合ショウコンクールに出場する。
21 ちりもツもれば山となる
22 自ゼンにまどが開いた。
23 庭の木にクモのスがあった。
24 連ゾクしてホームランが出た。
25 つくえの上にパソコンをオく。
26 会議中に社長の顔色が急ヘンした。
27 太陽エネルギーをリ用する。
28 庭に大リンのヒマワリがさいた。
29 受験する学校にガン書を出す。
30 父がヒえたビールを飲む。

31 山ナシ県のキャンプ場に行く。
32 四月二十九日はシュク日だ。
33 新しい先生の名前をオボえる。
34 このツヅきは明日にしよう。
35 テレビの位チから遠い場所だ。
36 午後になって風向きがカわった。
37 ワゴムを指ではじいて遊ぶ。
38 物音がして目をサました。
39 ねこの手もカりたい
40 あの人の意見はマト外れだ。
41 ツメたい水で顔をあらう。
42 仕事が多くてザン業をした。

Aランク

配当漢字表③

漢字	読み	画数	部首	部首名	筆順
塩	音 エン 訓 しお	13	土	つちへん	一 十 土 圹 圹 坧 坧 坧 塩 塩 塩 塩 塩
旗	音 キ 訓 はた	14	方	ほうへん かたへん	丶 亠 方 方 方 方 方 方 旃 旃 旃 旗 旗 旗
泣	音 キュウ(中) 訓 な(く)	8	氵	さんずい	丶 冫 氵 氵 汁 汁 汁 泣
鏡	音 キョウ 訓 かがみ	19	金	かねへん	ノ 𠆢 亼 今 今 今 金 金 金 鈁 鈁 鈁 鏡 鏡 鏡 鏡 鏡 鏡 鏡
佐	音 サ 訓 —	7	亻	にんべん	ノ イ 仁 什 佐 佐 佐
埼	音 — 訓 さい	11	土	つちへん	一 十 土 圹 圹 圹 圹 圹 埼 埼 埼

漢字	読み	画数	部首	部首名	筆順
崎	音 — 訓 さき	11	山	やまへん	丨 山 山 山 山 山 山 山 崎 崎 崎
昨	音 サク 訓 —	9	日	ひへん	丨 冂 日 日 日 日 昨 昨 昨
刷	音 サツ 訓 す(る)	8	刂	りっとう	𠃍 コ 尸 尸 局 局 刷 刷
種	音 シュ 訓 たね	14	禾	のぎへん	ノ 二 千 禾 禾 禾 禾 禾 秱 秱 秱 種 種 種
松	音 ショウ 訓 まつ	8	木	きへん	一 十 才 木 木 松 松 松
席	音 セキ 訓 —	10	巾	はば	丶 亠 广 广 广 广 广 广 席 席

「選」「必」「包」「牧」が、「筆順」の問題で出題されやすいよ。

漢字	読み（音）	読み（訓）	画数	部首	部首名	筆順
浅	セン(中)	あさ(い)	9	氵	さんずい	丶 冫 氵 氵 汇 汇 浅 浅 浅
選	セン	えら(ぶ)	15	辶	しんにょう しんにゅう	㇆ コ 己 己コ 己己 巳巳 巴巴 巽 巽 巽 巽 巽 巽 選 選
卒	ソツ	―	8	十	じゅう	丶 亠 亠 亣 亣 亣 亣 卒
帯	タイ	お(びる) おび	10	巾	はば	一 十 卄 卅 卅 卅 卅 带 帯 帯
底	テイ	そこ	8	广	まだれ	丶 亠 广 庀 庀 庀 底 底
伝	デン	つた(わる) つた(える) つた(う)	6	亻	にんべん	ノ 亻 仁 仁 伝 伝
灯	トウ	ひ(高)	6	火	ひへん	丶 丷 火 火 灯 灯
栃	―	とち	9	木	きへん	一 十 才 木 木 杤 杤 杤 栃
梅	バイ	うめ	10	木	きへん	一 十 才 木 杧 杧 杧 梅 梅 梅

漢字	読み（音）	読み（訓）	画数	部首	部首名	筆順
博	ハク バク(高)	―	12	十	じゅう	一 十 十 忙 忙 恒 恒 恒 博 博 博 博
必	ヒツ	かなら(ず)	5	心	こころ	丶 ソ 义 必 必
便	ベン ビン	たよ(り)	9	亻	にんべん	ノ 亻 仁 仃 佰 佰 佰 便 便
包	ホウ	つつ(む)	5	勹	つつみがまえ	ノ 勹 勺 匀 包
牧	ボク	まき(中)	8	牛	うしへん	ノ 𠂉 牛 牛 牜 牧 牧 牧
末	マツ バツ(高)	すえ	5	木	き	一 二 キ 末 末
満	マン	み(ちる) み(たす)	12	氵	さんずい	丶 冫 氵 汁 汁 泄 泄 泄 満 満 満 満
陸	リク	―	11	阝	こざとへん	乛 阝 阝 阝 阡 阡 阡 陸 陸 陸 陸
録	ロク	―	16	金	かねへん	ノ 𠆢 今 今 全 金 金 金 釕 釕 録 録 録 録 録 録

Aランク

配当漢字表③読み

目標時間 15分

合格ライン 28点

得点 　／40

月　日

● 次の――線の**漢字の読み**を**ひらがな**で答えのらんに書きなさい。

1 栃木県には日光東照宮《にっこうとうしょうぐう》がある。（　　）
2 マラソンのランナーに旗をふる。（　　）
3 くやしくて泣きたくなった。（　　）
4 父は鏡を見ながらひげをそる。（　　）
5 昨夜はひどい雨と風だった。（　　）
6 刷り上がったばかりの新聞を読む。（　　）
7 暗くなったので街灯がともった。（　　）
8 スイカの種をぺっとはき出す。（　　）
9 庭に大きな松の木がある。（　　）

10 空いている席にすわる。（　　）
11 プールの浅い所で泳ぐ。（　　）
12 姉は中学校を卒業した。（　　）
13 帯に短したすきに長し（　　）
14 海底で古い船が見つかった。（　　）
15 佐賀県は焼き物で有名だ。（　　）
16 ストーブの灯油を買う。（　　）
17 梅の木にウグイスがとまっている。（　　）
18 となり町にある博物館を見学する。（　　）

19 便せんにお礼の言葉を書く。（　　）

20 放牧された羊を犬が追いかける。（　　）

21 末っ子の弟はまだ三才だ。（　　）

22 満天の星がかがやいている。（　　）

23 地球は陸より海のほうが広い。（　　）

24 埼玉県に引っこした。（　　）

25 録画しておいたドラマを見る。（　　）

26 宮崎県の名産品はマンゴーだ。（　　）

27 日本の国旗は日の丸だ。（　　）

28 家では熱帯魚をかっている。（　　）

29 便りのないのは良い便り（　　）

30 年末はいそがしい。（　　）

31 料理に食塩をふりかける。（　　）

32 スープに塩を入れる。（　　）

33 野球選手からサインをもらう。（　　）

34 学級委員をみんなで選ぶ。（　　）

35 エジソンの伝記を読む。（　　）

36 集合場所を電話で伝える。（　　）

37 寒さを必死にがまんする。（　　）

38 必ず来週も集会に来てください。（　　）

39 駅前の薬局で包帯を買った。（　　）

40 ガムを紙に包んですてた。（　　）

A ランク

配当漢字表③ 書き取り

目標時間 20分

合格ライン 30点

得点 ／42

月　日

● 次の――線のカタカナを漢字になおして答えのらんに書きなさい。

1 エン分をひかえた食事を作る。（　）
2 サ賀県は九州北部にある。（　）
3 風がふいてハタがゆれている。（　）
4 小さい女の子が転んでナいている。（　）
5 カガミの前でダンスの練習をする。（　）
6 サク年は景気が悪かった。（　）
7 スり上がったちらしを配る。（　）
8 サイ玉県に住む知人をたずねる。（　）
9 畑にカボチャのタネをまく。（　）

10 正月には門にマツをかざる。（　）
11 チャイムが鳴ったらセキに着く。（　）
12 川のアサい所に魚が集まっている。（　）
13 どれでも好きな色をエラびなさい。（　）
14 学校のソツ業式に出席した。（　）
15 着物のオビをしっかりしめる。（　）
16 びんのソコにジャムが残っている。（　）
17 兄は旅行で長サキ県に行った。（　）
18 漢字は中国からツタわった。（　）

19 **トウ**台もと暗し

20 **ウメ**の実がたくさんとれた。

21 **ハク**物館で化石を見た。

22 **ヒツ**要は発明の母

23 外国にいる父から**タヨ**りがとどいた。

24 きれいな紙でプレゼントを**ツツ**む。

25 **ボク**場で牛の世話をしてみたい。

26 週**マツ**はサッカーの試合だ。

27 十五夜とは**マン**月の夜のことだ。

28 台風が日本列島に上**リク**した。

29 毎日同じ時間**タイ**の電車に乗る。

30 百メートル走で新記**ロク**が出た。

31 フライドポテトに**シオ**をまぶす。

32 先祖《ぞ》は海軍の大**サ**だった。

33 天体望遠**キョウ**で星を見る。

34 町の印**サツ**所を見学する。

35 三角形の**テイ**辺の長さをはかる。

36 旅行で宮**ザキ**県内を回る。

37 **バイ**雨前線が北上する。

38 **カナラ**ず早く帰ってきてね。

39 家は駅の近くでとても**ベン**利だ。

40 **ホウ**丁でタマネギをきざむ。

41 工事は来月の**スエ**に終わる。

42 **トチ**木県に住む姉のもとへ行った。

B ランク

配当漢字表①

漢字	読み	画数	部首	部首名	筆順
位	音 イ 訓 くらい	7	亻	にんべん	ノ 亻 亻 仁 什 位 位
印	音 イン 訓 しるし	6	卩	わりふ ふしづくり	ノ 𠂆 F E 臼 印
議	音 ギ 訓 ―	20	言	ごんべん	亠 亠 言 言 言 訁 訁 詳 詳 詳 詳 詳 議 議 議
極	音 キョク ゴク㊥ 訓 きわ(める)㊥ きわ(まる)㊥ きわ(み)㊥	12	木	きへん	一 十 才 木 朩 杇 杤 柯 柯 柯 極 極
景	音 ケイ 訓 ―	12	日	ひ	丶 口 日 日 早 旦 早 昌 景 景 景 景
芸	音 ゲイ 訓 ―	7	艹	くさかんむり	一 十 艹 廿 芏 芸 芸

漢字	読み	画数	部首	部首名	筆順
結	音 ケツ 訓 むす(ぶ) ゆ(う)㊥ ゆ(わえる)㊥	12	糸	いとへん	く 幺 幺 糸 糸 糸 糸 紆 紆 紆 結 結
建	音 ケン コン㊫ 訓 た(てる) た(つ)	9	廴	えんにょう	フ ヨ ヨ 聿 聿 聿 建 建 建
好	音 コウ 訓 この(む) す(く)	6	女	おんなへん	く 女 女 女 好 好
康	音 コウ 訓 ―	11	广	まだれ	丶 亠 广 户 户 庐 唐 唐 康 康 康
菜	音 サイ 訓 な	11	艹	くさかんむり	一 十 艹 廿 芏 芏 芏 苹 苹 菜 菜
材	音 ザイ 訓 ―	7	木	きへん	一 十 才 木 村 村 材

「議」「類」など画数の多い漢字は、「書き取り」や「画数」の問題でまちがえやすいので、注意しよう！

漢字	読み（音）	読み（訓）	画数	部首	部首名	筆順
札	サツ	ふだ	5	木	きへん	一 十 オ 木 札
参	サン	まい(る)	8	厶	む	㇜ 厶 厸 乡 矣 叁 参 参
治	ジ チ	おさ(める) おさ(まる) なお(る) なお(す)	8	氵	さんずい	丶 丶 氵 汁 汁 汁 治 治
辞	ジ	や(める)㊥	13	辛	からい	一 二 千 千 舌 舌 舌 舌 舌 舌 辞 辞 辞
周	シュウ	まわ(り)	8	口	くち	丿 冂 月 円 用 周 周 周
初	ショ	はじ(め) はじ(めて) はつ うい㊧ そ(める)㊥	7	刀	かたな	丶 ラ オ ネ ネ 初 初
節	セツ セチ㊧	ふし	13	⺮	たけかんむり	ノ ト ⺮ 竹 竹 竹 竹 笞 笞 笛 節 節 節
説	セツ ゼイ㊧	と(く)	14	言	ごんべん	丶 亠 亠 亠 言 言 言 言 訁 訁 説 説 説 説
孫	ソン	まご	10	孑	こへん	フ 了 子 孑 孑 孖 孖 孫 孫 孫

漢字	読み（音）	読み（訓）	画数	部首	部首名	筆順
努	ド	つと(める)	7	力	ちから	く 女 女 奴 奴 努 努
特	トク	—	10	牛	うしへん	ノ 卜 牛 牛 牛 牛 牜 特 特 特
飯	ハン	めし	12	飠	しょくへん	ノ 人 今 今 今 今 食 食 飣 飣 飯 飯
辺	ヘン	あた(り) べ	5	辶	しんにょう しんにゅう	フ 刀 刀 辺 辺
望	ボウ モウ㊥	のぞ(む)	11	月	つき	丶 亠 亡 亡 切 切 切 切 望 望 望
民	ミン	たみ㊥	5	氏	うじ	フ コ 戸 巳 民
約	ヤク	—	9	糸	いとへん	く 幺 幺 糸 糸 糸 紃 約 約
浴	ヨク	あ(びる) あ(びせる)	10	氵	さんずい	丶 丶 氵 氵 氵 汐 汐 浴 浴 浴
類	ルイ	たぐ(い)	18	頁	おおがい	丶 丷 半 米 米 米 类 类 类 类 类 類 類 類 類 類 類 類

B ランク

配当漢字表①読み

目標時間 15分

合格ライン 28点

得点 ／40

月　日

●次の――線の**漢字の読み**を**ひらがな**で答えのらんに書きなさい。

1 駅の位置をたしかめる。（　　）

2 矢印で道順をしめす。（　　）

3 協議したがなかなか決まらない。（　　）

4 南極を犬ぞりで進んで行く。（　　）

5 田園風景をながめる。（　　）

6 芸は身を助ける（　　）

7 高いビルが建てられた。（　　）

8 健康のためにジョギングをする。（　　）

9 野菜ジュースを毎日飲む。（　　）

10 大臣が記者の取材を受ける。（　　）

11 生徒はむねに名札を付けている。（　　）

12 母の病気はすっかり治った。（　　）

13 国語辞典で言葉の意味を調べる。（　　）

14 弟が家の周りで遊んでいる。（　　）

15 初心わするべからず（　　）

16 おこづかいを節約する。（　　）

17 あのおばあさんには孫がいる。（　　）

18 今日だけ特別なサービスがある。（　　）

19 にぎり飯をロいっぱいほおばる。
20 辺り一面花でいっぱいだ。
21 待望の新作が発売された。
22 市民に愛されるチームをめざす。
23 公園で十時に会う約束をする。
24 ゾウの親子が水浴びしている。
25 類は友をよぶ
26 ゆっくり岸辺を歩く。
27 周遊の旅に出かける。
28 ふうとうから札束を出す。
29 日本は治安の良い国である。
30 初めての海外旅行に行く。

31 ドラマの結末にがっかりした。
32 くつひもの結び目がほどけた。
33 友好的な関係をきずく。
34 妹はいちごのケーキが好きだ。
35 参道には店がならんでいる。
36 正月に神社にお参りに行く。
37 係の人からくわしい説明を聞く。
38 人生について説く。
39 テストで百点を取るために努力する。
40 ごみをへらすように努める。

B ランク

配当漢字表① 書き取り

目標時間 **20**分

合格ライン **30**点

得点　　／42

月　日

● 次の――線の**カタカナ**を**漢字**になおして答えのらんに書きなさい。

1 運動会のリレーで一**イ**になる。（　　）

2 はがきに住所を**イン**刷する。（　　）

3 学級会の**ギ**題を読み上げる。（　　）

4 いつか北**キョク**に行ってみたい。（　　）

5 高台からの夜**ケイ**がきれいだ。（　　）

6 母は手**ゲイ**がとくいだ。（　　）

7 試合の**ケッ**果をテレビで見る。（　　）

8 大正《たいしょう》時代に**タ**てられた家だ。（　　）

9 部屋に**ス**きな絵をかざる。（　　）

10 健**コウ**に気をつけた食事をする。（　　）

11 **ナ**の花畑にチョウが飛んでいる。（　　）

12 料理の**ザイ**料を買いに行く。（　　）

13 店員はみんな名**フダ**を付けていた。（　　）

14 町内のゲーム大会に**サン**加する。（　　）

15 けがが**ナオ**った選手が出場した。（　　）

16 国語の**ジ**書を持ち歩いている。（　　）

17 世界一**シュウ**の旅をしてみたい。（　　）

18 海岸から**ハツ**日の出が見えた。（　　）

19 人生の**フシ**目をむかえる。（　　）
20 その小**セツ**家の作品はよく売れる。（　　）
21 おじいさんは**マゴ**をかわいがった。（　　）
22 父は**ド**力して社長になった。（　　）
23 新しいカメラの**トク**長を聞く。（　　）
24 今日の夕**ハン**はカレーだ。（　　）
25 この**アタ**りには店がない。（　　）
26 何でも**ノゾ**みをかなえてあげよう。（　　）
27 **ミン**宿でおいしい料理を味わう。（　　）
28 **ヤク**束していた時間におくれた。（　　）
29 夏の海水**ヨク**が楽しみだ。（　　）
30 冬の衣**ルイ**を箱にしまう。（　　）

31 算数の時間に一万の**クライ**を習う。（　　）
32 家族でお寺**マイ**りをした。（　　）
33 最**ショ**は右も左もわからなかった。（　　）
34 父はからいものを**コノ**んで食べる。（　　）
35 神社でおみくじを木に**ムス**んだ。（　　）
36 運動会は**コウ**天にめぐまれた。（　　）
37 千円**サツ**を百円玉にくずす。（　　）
38 飛行機に**ハジ**めて乗った。（　　）
39 早いもので季**セツ**はもう秋だ。（　　）
40 海**ベ**のレストランで食事をする。（　　）
41 天体**ボウ**遠鏡で土星を見る。（　　）
42 頭からシャワーを**ア**びる。（　　）

B ランク

配当漢字表②

漢字	読み	画数	部首	部首名	筆順
案	音 アン 訓 ―	10	木	き	丶 丷 宀 它 安 安 安 宰 案 案
果	音 カ 訓 は(たす) は(てる) は(て)	8	木	き	丨 口 日 日 旦 甲 果 果
課	音 カ 訓 ―	15	言	ごんべん	丶 亠 亖 言 言 言 言 訁 訂 訂 訂 訂 課 課 課
改	音 カイ 訓 あらた(める) あらた(まる)	7	攵	のぶん ぼくづくり	フ コ 己 己 改 改 改
管	音 カン 訓 くだ	14	⺮	たけかんむり	ノ ⺈ ⺮ 竹 竹 竹 竺 竺 竺 管 管 管 管 管
関	音 カン 訓 せき かか(わる)	14	門	もんがまえ	丨 𠃌 冂 門 門 門 門 門 門 門 閂 関 関 関

漢字	読み	画数	部首	部首名	筆順
観	音 カン 訓 ―	18	見	みる	ノ 亠 午 午 午 午 隹 隹 隹 隹 隹 観 観 観 観 観 観 観
器	音 キ 訓 うつわ㊥	15	口	くち	丨 口 口 吅 吅 吅 哭 哭 哭 哭 器 器 器 器 器
協	音 キョウ 訓 ―	8	十	じゅう	一 十 十 协 协 協 協 協
訓	音 クン 訓 ―	10	言	ごんべん	丶 亠 亖 言 言 言 言 訓 訓 訓
径	音 ケイ 訓 ―	8	彳	ぎょうにんべん	ノ 彳 彳 径 径 径 径 径
健	音 ケン 訓 すこ(やか)㊥	11	亻	にんべん	ノ 亻 仁 仁 仁 仁 律 律 健 健 健

「しけんかん」は、人のときは「試験官」、実験道具のときは「試験管」と書くよ。正しく使い分けよう！

漢字	音	訓	画数	部首	部首名	筆順
験	ケン ゲン(高)	—	18	馬	うまへん	丨 厂 冂 冂 冂 馬 馬 馬 馬 馬 馬 馬 駖 駖 騐 騐 験 験
固	コ	かた(める) かた(まる) かた(い)	8	囗	くにがまえ	丨 冂 冂 冃 円 円 固 固
差	サ	さ(す)	10	工	え たくみ	丶 丷 䒑 䒑 兰 羊 差 差 差 差
最	サイ	もっと(も)	12	日	ひらび いわく	丨 口 日 日 旦 昌 昌 昌 昌 最 最 最
察	サツ	—	14	宀	うかんむり	丶 丷 宀 宀 宊 宊 宊 宊 宊 宊 察 察 察 察
争	ソウ	あらそ(う)	6	亅	はねぼう	ノ ク ⺈ 刍 刍 争
倉	ソウ	くら	10	人	ひとやね	ノ 人 今 今 今 今 今 今 倉 倉
側	ソク	がわ	11	亻	にんべん	ノ 亻 亻 们 们 伹 伹 伹 俱 俱 側
徒	ト	—	10	彳	ぎょうにんべん	ノ ク 彳 彳 彳 往 往 往 徒 徒

漢字	音	訓	画数	部首	部首名	筆順
働	ドウ	はたら(く)	13	亻	にんべん	ノ 亻 仁 仁 佇 佰 佰 佰 俥 俥 偅 働 働
標	ヒョウ	—	15	木	きへん	一 十 オ 木 札 朾 杇 栖 栖 栖 標 標 標 標 標
不	フ ブ	—	4	一	いち	一 ア 不 不
別	ベツ	わか(れる)	7	刂	りっとう	丨 口 口 号 另 別 別
無	ム ブ	な(い)	12	灬	れんが れっか	ノ 𠂉 仁 午 毎 毎 無 無 無 無 無 無
勇	ユウ	いさ(む)	9	力	ちから	フ マ ア 丙 甬 甬 甬 甬 勇
養	ヨウ	やしな(う)	15	食	しょく	丶 丷 䒑 䒑 兰 羊 羊 羊 养 养 养 養 養 養 養
老	ロウ	お(いる) ふ(ける)(高)	6	耂	おいかんむり おいがしら	一 十 土 耂 耂 老
労	ロウ	—	7	力	ちから	丶 丷 ⺍ ⺍ 𫝀 学 労

B ランク

配当漢字表②読み

目標時間 15分

合格ライン 28点

得点 ／40

月　日

● 次の——線の**漢字の読み**を**ひらがな**で答えのらんに書きなさい。

1 案外かんたんにできた。（　　）

2 練習した成果がすぐに出た。（　　）

3 作文の課題をあたえられる。（　　）

4 家の水道管は工事中だ。（　　）

5 遠足で箱根《はこね》の関所に行った。（　　）

6 野球場で試合を観戦する。（　　）

7 手先が器用で細かい作業ができる。（　　）

8 みんなの協力のおかげで勝てた。（　　）

9 犬を訓練して大会に出場する。（　　）

10 半径三センチの円をかく。（　　）

11 父はいつも健康に気をつけている。（　　）

12 ラクダに乗る体験をする。（　　）

13 雨ふって地固まる（　　）

14 竹の物差しで長さをはかる。（　　）

15 夏休みにあさがおを観察する。（　　）

16 港の近くにレンガの倉庫がある。（　　）

17 このろう下は左側通行だ。（　　）

18 駅から徒歩五分のアパートに住む。（　　）

19 この会社で働いてもう十年だ。（　　）

20 交通安全の標語を覚える。（　　）

21 不服そうにもんくを言った。（　　）

22 大きな家具は別便で送ります。（　　）

23 計画がすべて台無しになる。（　　）

24 老いては子にしたがえ（　　）

25 苦労したが楽しい人生だった。（　　）

26 果てしない空を見上げる。（　　）

27 友達との関係を大事にする。（　　）

28 父の労働時間は長い。（　　）

29 学校の前で友人と別れる。（　　）

30 無理をしないで休むことにした。（　　）

31 米の品種を改良する。（　　）

32 親のありがたさを改めて感じる。（　　）

33 最新型《がた》のテレビを買った。（　　）

34 町で最も人気のあるレストランだ。（　　）

35 かつて日本はロシアと戦争をした。（　　）

36 争いごとはきらいだ。（　　）

37 友達と話したら勇気が出た。（　　）

38 勇ましいかけ声とともに走り出す。（　　）

39 もっと栄養になる物を食べなさい。（　　）

40 父が家族を養っている。（　　）

Bランク

配当漢字表② 書き取り

目標時間 20分

合格ライン 30点

得点 ／42

月　日

●次の——線の**カタカナ**を**漢字**になおして答えのらんに書きなさい。

1 名**アン**が思いうかんだ。（　　）
2 漢字テストの結**カ**が楽しみだ。（　　）
3 放**カ**後にダンスの練習をした。（　　）
4 首相《しょう》が考え方を**アラタ**めた。（　　）
5 家の財《ざい》産を**カン**理する。（　　）
6 社会問題には**カン**心がない。（　　）
7 テレビでサッカーの**カン**戦をする。（　　）
8 食事のあと、食**キ**をかたづける。（　　）
9 **キョウ**力してちらしを配った。（　　）

10 学校でひなん**クン**練があった。（　　）
11 この円の直**ケイ**は三センチだ。（　　）
12 むりをして**ケン**康をそこねる。（　　）
13 虫めがねを使った実**ケン**をする。（　　）
14 本だなをしっかり**コ**定する。（　　）
15 夏の日**ザ**しがまぶしい。（　　）
16 一位になって**サイ**高の気分だ。（　　）
17 悲しい気持ちを**サッ**する。（　　）
18 日本は戦**ソウ**に負けたことがある。（　　）

19 体育**ソウ**庫にマットを運ぶ。（　）

20 道の両**ガワ**にヤシの木を植える。（　）

21 学校までは**ト**歩で十分だ。（　）

22 母は駅前の店で**ハタラ**いている。（　）

23 七級に受かるのが目**ヒョウ**だ。（　）

24 ひとりぼっちで**フ**安になる。（　）

25 かんとびんを分**ベツ**してすてる。（　）

26 旅の**ブ**事をいのる。（　）

27 **ユウ**気を出して発言する。（　）

28 つかれたので休**ヨウ**をとる。（　）

29 少年**オ**いやすく学成りがたし（　）

30 わかい時の苦**ロウ**は買ってでもせよ（　）

31 **アン**ずるより産むがやすし（　）

32 全国大会への出場を**ハ**たす。（　）

33 バスの時こく表を**カイ**正する。（　）

34 ゴムの**クダ**を使って空気を入れる。（　）

35 本に**カカ**わる仕事をしたい。（　）

36 パスタを**カタ**めにゆでる。（　）

37 一年で**モット**も暑い日だった。（　）

38 米をしまっておく**クラ**がある。（　）

39 箱の**ソク**面に色がついている。（　）

40 男たちの**イサ**ましい声がする。（　）

41 **ム**用の長物（　）

42 運動をして体力を**ヤシナ**う。（　）

配当漢字表①

漢字	衣	加	貨	械	害	季
読み	音 イ 訓 ころも(中)	音 カ 訓 くわ(える) くわ(わる)	音 カ 訓 —	音 カイ 訓 —	音 ガイ 訓 —	音 キ 訓 —
画数	6	5	11	11	10	8
部首	衣	力	貝	木	宀	子
部首名	ころも	ちから	かい こがい	きへん	うかんむり	こ
筆順	丶 亠 ナ 衣 衣 衣	フ カ カ 加 加	ノ イ 亻 化 化 化 化 化 貨 貨 貨	一 十 才 木 木 朾 朾 杅 械 械 械	丶 丷 宀 宀 宀 宇 宇 宔 害 害	一 二 千 禾 禾 秂 季 季

漢字	挙	漁	共	欠	功	産
読み	音 キョ 訓 あ(げる) あ(がる)	音 ギョ リョウ 訓 —	音 キョウ 訓 とも	音 ケツ 訓 か(ける) か(く)	音 コウ ク(高) 訓 —	音 サン 訓 う(む) う(まれる) うぶ(高)
画数	10	14	6	4	5	11
部首	手	氵	八	欠	力	生
部首名	て	さんずい	は	あくび かける	ちから	うまれる
筆順	丶 丷 ⺍ 㐄 兴 兴 兴 兴 挙 挙	丶 冫 氵 氵 汐 汐 汐 渔 渔 渔 渔 渔 漁 漁	一 十 廾 廾 共 共	ノ 𠂊 ケ 欠	一 丅 工 巧 功	丶 亠 亠 亠 立 产 产 产 产 産 産

「同じ部首の漢字」の問題では、「漁」「清」などの「氵(さんずい)」が部首の漢字がよく出るよ。

漢字	読み（音）	読み（訓）	画数	部首	部首名	筆順
散	サン	ち(る) ち(らす) ち(らかす) ち(らかる)	12	攵	のぶん ぼくづくり	一 十 廾 艹 昔 昔 昔 昔 散 散 散 散
児	ジ ニ(中)	—	7	儿	ひとあし にんにょう	丨 ‖ 川 旧 旧 児 児
失	シツ	うしな(う)	5	大	だい	ノ 𠂉 𠂉 失 失
臣	シン ジン	—	7	臣	しん	丨 厂 ⺁ 円 臣 臣 臣
信	シン	—	9	亻	にんべん	ノ 亻 亻 仁 信 信 信 信 信
省	セイ ショウ	かえり(みる)(中) はぶ(く)	9	目	め	丨 小 小 少 少 省 省 省 省
清	セイ ショウ(高)	きよ(い) きよ(まる) きよ(める)	11	氵	さんずい	丶 冫 氵 汀 汁 浐 清 清 清 清 清
隊	タイ	—	12	阝	こざとへん	7 3 阝 阝 阝 阝 阝 隊 隊 隊 隊 隊
低	テイ	ひく(い) ひく(める) ひく(まる)	7	亻	にんべん	ノ 亻 亻 亻 仾 低 低

漢字	読み（音）	読み（訓）	画数	部首	部首名	筆順
敗	ハイ	やぶ(れる)	11	攵	のぶん ぼくづくり	丨 冂 月 目 目 貝 貝 貝 敗 敗 敗
票	ヒョウ	—	11	示	しめす	一 冖 冂 襾 襾 覀 覀 票 票 票 票
付	フ	つ(ける) つ(く)	5	亻	にんべん	ノ 亻 仁 付 付
副	フク	—	11	刂	りっとう	一 冖 戸 戸 畐 畐 畐 畐 畐 副 副
未	ミ	—	5	木	き	一 二 キ 未 未
要	ヨウ	かなめ い(る)(中)	9	覀	おおいかんむり	一 冖 冂 襾 襾 覀 要 要 要
料	リョウ	—	10	斗	とます	丶 丷 䒑 半 米 米 米 米 料 料
量	リョウ	はか(る)	12	里	さと	丨 口 日 旦 昌 昌 昌 昌 量 量 量 量
連	レン	つら(なる) つら(ねる) つ(れる)	10	辶	しんにょう しんにゅう	一 冂 戸 百 亘 車 車 連 連 連

Cランク

配当漢字表①読み

目標時間 15分

合格ライン 28点

得点 ／40

月　日

● 次の――線の**漢字の読み**を**ひらがな**で答えのらんに書きなさい。

1 かわいた衣類をきれいにたたむ。（　　）

2 駅前に百貨店が新しくできた。（　　）

3 多くのものが機械化されている。（　　）

4 百害あって一利なし（　　）

5 夏季オリンピックが開かれる。（　　）

6 手を挙げて自分の考えを言う。（　　）

7 今年はイワシが大漁だ。（　　）

8 公共のサービスを利用する。（　　）

9 長年の功労をたたえる。（　　）

10 案ずるより産むがやすし（　　）

11 毎朝一時間ぐらい散歩する。（　　）

12 児童公園のブランコに乗る。（　　）

13 親におこられてやる気を失う。（　　）

14 大臣が会議に出席する。（　　）

15 あの人は信用できる。（　　）

16 細かいところは省いて話す。（　　）

17 川の清流に手をひたす。（　　）

18 隊長が部下に命令した。（　　）

19 学級委員を投票で決める。

20 この付近にはコンビニがない。

21 薬の副作用で気分が悪くなる。

22 日本の未来を心配する。

23 あの人は最重要人物だ。

24 ガス料金が安くなった。

25 子どもを連れて遊園地に行く。

26 友人と共に旅に出る。

27 強い風でさくらの花が散った。

28 おまけ付きのキャラメルを買う。

29 この村はみかんの産地だ。

30 山からの清らかな水が流れる。

31 絵手紙のサークルに加入する。

32 スープに塩を加える。

33 自分の欠点を直す努力をする。

34 父は朝のジョギングを欠かさない。

35 学力の低下が問題になる。

36 今朝は気温が低かった。

37 失敗しても決してあきらめない。

38 チャンピオンが新人に敗れた。

39 イナゴが大量に発生した。

40 荷物の重さを量ってもらう。

C ランク

配当漢字表① 書き取り

目標時間 20分

合格ライン 30点

得点 　/42

月　日

● 次の——線の**カタカナ**を**漢字**になおして答えのらんに書きなさい。

1 **イ**服の売り上げが下がった。

2 ブリキを**カ**工しておもちゃを作る。

3 百**カ**店のバーゲンセールに行く。

4 スイッチを入れて機**カイ**を動かす。

5 シロアリは**ガイ**虫だ。

6 四**キ**の中では夏が好きだ。

7 次の日曜日には選**キョ**がある。

8 遠洋**ギョ**業がさかんだ。

9 妹と**キョウ**通の友達がいる。

10 かぜで**ケッ**席する子が多い。

11 ようやく実験が成**コウ**する。

12 サービス業は第三次**サン**業だ。

13 木の葉がたくさん**チ**っている。

14 父親と母親が育**ジ**にはげむ。

15 一回だけのチャンスを**ウシナ**う。

16 新しい大**ジン**はとても人気がある。

17 次の試験で満点をとる自**シン**がある。

18 けんかをしたことを反**セイ**する。

19 下書きした作文をセイ書する。（　　）

20 登山タイが雪山から下りてきた。（　　）

21 エアコンの設《せっ》定温度をヒクくした。（　　）

22 勝てた試合にヤブれてくやしがる。（　　）

23 投ヒョウ結果を発表する。（　　）

24 きず口に薬をツけてもらう。（　　）

25 フク食はサンマの塩焼きだ。（　　）

26 ミ来の自分にあてて手紙を書く。（　　）

27 ヨウ点を整理してから話す。（　　）

28 姉はリョウ理教室に通っている。（　　）

29 リョウが多くて食べ切れなかった。（　　）

30 五月のレン休も練習がある。（　　）

31 新しい選手がチームにクワわった。（　　）

32 例をアげてくわしく説明する。（　　）

33 トモ食いをする虫がいる。（　　）

34 大切にしている皿がカけた。（　　）

35 家の近くをサン歩する。（　　）

36 友人の言葉にシツ望した。（　　）

37 ショウエネルギーを心がける。（　　）

38 キヨらかな心の持ち主だ。（　　）

39 急に温度がテイ下した。（　　）

40 今日勝って三勝二ハイになった。（　　）

41 シャツにペンキがフ着していた。（　　）

42 山が南北にツラなっている。（　　）

配当漢字表②

漢字	読み	画数	部首	部首名	筆順
以	音 イ 訓 —	5	人	ひと	｜ レ レ 以 以
英	音 エイ 訓 —	8	艹	くさかんむり	一 十 艹 艹 苎 苎 英 英
億	音 オク 訓 —	15	亻	にんべん	ノ 亻 亻 亻 亻 亻 亻 倍 倍 倍 倍 億 億 億 億
各	音 カク 訓 おのおの㊀	6	口	くち	ノ ク 夂 夂 各 各
完	音 カン 訓 —	7	宀	うかんむり	丶 丶 宀 宀 宇 宇 完
官	音 カン 訓 —	8	宀	うかんむり	丶 丶 宀 宀 宀 宀 官 官

漢字	読み	画数	部首	部首名	筆順
希	音 キ 訓 —	7	巾	はば	ノ メ 产 产 产 希 希
機	音 キ 訓 はた㊥	16	木	きへん	一 十 木 木 木 木 松 松 松 松 松 桦 桦 機 機 機
求	音 キュウ 訓 もと(める)	7	水	みず	一 丁 寸 才 求 求 求
給	音 キュウ 訓 —	12	糸	いとへん	ㄑ 幺 幺 糸 糸 糸 糸 紒 給 給 給 給
軍	音 グン 訓 —	9	車	くるま	丶 冖 冖 冖 冝 冝 宣 宣 軍
郡	音 グン 訓 —	10	阝	おおざと	フ ヨ ヨ 尹 尹 君 君 君 郡 郡

「郡」は画数の問題でとてもよく出るよ。「阝」（おおざと）の部分は3画で書くことをわすれないでおこう。

漢字	候	氏	司	試	順	成	戦	達	単
読み	音 コウ 訓 そうろう(高)	音 シ 訓 うじ(中)	音 シ 訓 —	音 シ 訓 こころ(みる) ため(す)(中)	音 ジュン 訓 —	音 セイ ジョウ(高) 訓 な(る) な(す)	音 セン 訓 いくさ(中) たたか(う)	音 タツ 訓 —	音 タン 訓 —
画数	10	4	5	13	12	6	13	12	9
部首	亻	氏	口	言	頁	戈	戈	辶	⺍
部首名	にんべん	うじ	くち	ごんべん	おおがい	ほこづくり ほこがまえ	ほこづくり ほこがまえ	しんにょう しんにゅう	つかんむり
筆順	ノ 亻 亻 仁 伫 伫 伫 伫 候 候	一 ㇗ 𠂆 氏	𠃌 ㇕ 司 司 司	、 亠 亠 言 言 言 言 訁 訂 訂 証 試 試	ノ 川 川 川 川 川 川 順 順 順 順 順	ノ 厂 万 成 成 成	、 ソ ⺍ ⺍ 㐅 㐅 当 単 単 単 戦 戦 戦	一 十 土 土 幸 幸 幸 幸 幸 達 達 達	、 ソ ⺍ ⺍ 㐅 当 当 当 単

漢字	兆	夫	府	兵	法	良	令	例
読み	音 チョウ 訓 きざ(す)(高) きざ(し)(高)	音 フ フウ(中) 訓 おっと	音 フ 訓 —	音 ヘイ ヒョウ 訓 —	音 ホウ ハッ(高) ホッ(高) 訓 —	音 リョウ 訓 よ(い)	音 レイ 訓 —	音 レイ 訓 たと(える)
画数	6	4	8	7	8	7	5	8
部首	儿	大	广	八	氵	艮	人	亻
部首名	ひとあし にんにょう	だい	まだれ	は	さんずい	ねづくり こんづくり	ひとやね	にんべん
筆順	ノ ﾘ ｽ 兆 兆 兆	一 二 夫 夫	、 亠 广 广 庁 府 府 府	一 厂 斤 斤 丘 乒 兵	、 丶 氵 汁 汁 法 法 法	、 ㇒ ョ 白 自 良 良	ノ 人 今 今 令	ノ 亻 亻 仃 仍 伢 例 例

C ランク

配当漢字表②読み

目標時間 **15**分

合格ライン **28**点

得点　／40

月　日

● 次の——線の**漢字の読み**を**ひらがな**で答えのらんに書きなさい。

1 努力する以外に手はない。（　　）

2 ラジオで英会話の番組を聞く。（　　）

3 このくじの一等は六億円だ。（　　）

4 各委員会の代表が集まる。（　　）

5 今日の試合は完敗だった。（　　）

6 大きくなったら外交官になりたい。（　　）

7 バレー部への入部を希望する。（　　）

8 ジェット機が飛んでいる。（　　）

9 今週は給食当番だ。（　　）

10 おじいさんは軍人だった。（　　）

11 親せきが郡部に住んでいる。（　　）

12 遠足は天候にめぐまれた。（　　）

13 はがきに住所と氏名を書く。（　　）

14 パーティーの司会をする。（　　）

15 順路を守って見学する。（　　）

16 最後までせいいっぱい戦う。（　　）

17 練習したらスキーが上達した。（　　）

18 リモコンに単三電池を入れる。（　　）

19 工事には一兆円ほど必要だ。（　　）
20 都道府県の名前をすべて覚える。（　　）
21 地下で兵器がつくられていた。（　　）
22 人間は法のもとでは平等だ。（　　）
23 今日は良い天気だ。（　　）
24 上司から命令される。（　　）
25 ゴールまでは十メートル以上ある。（　　）
26 ようやく新しいビルが完成した。（　　）
27 兵庫県の淡路島《あわじしま》に行く。（　　）
28 列の後ろで自分の順番を待つ。（　　）
29 戦時中の体験談を聞く。（　　）
30 良薬は口に苦し（　　）

31 不当な要求をつっぱねる。（　　）
32 公式から答えを求める。（　　）
33 日曜日にもぎ試験がある。（　　）
34 四回転ジャンプを試みる。（　　）
35 勉強した成果が出てくる。（　　）
36 ローマは一日にして成らず（　　）
37 あの人が山田さんの夫人だ。（　　）
38 わたしには夫と子どもがいる。（　　）
39 例文にならって答えを書く。（　　）
40 例えばこんな人がいた。（　　）

C ランク

配当漢字表②書き取り

目標時間 8分

合格ライン 13点

得点 ／18

月　日

● 次の――線のカタカナを漢字になおして答えのらんに書きなさい。

1 五センチ**イ**上の雪が積もった。（　）

2 外国の人と**エイ**語で会話をする。（　）

3 **オク**万長者になりたい。（　）

4 けがは**カン**全に治った。（　）

5 上空を飛行**キ**が飛んでいる。（　）

6 いろいろな人に意見を**モト**める。（　）

7 **キュウ**食を残さず食べる。（　）

8 **グン**手をして門にペンキをぬる。（　）

9 しばらく悪天**コウ**が続くらしい。（　）

10 五十音**ジュン**に名前をよぶ。（　）

11 来週、**セイ**人式が行われる。（　）

12 いよいよ明日は決勝**セン**だ。（　）

13 練習を重ねて泳ぎが上**タツ**した。（　）

14 メートルは長さの**タン**位だ。（　）

15 別の方**ホウ**がないか考える。（　）

16 二国間の関係は**リョウ**好だ。（　）

17 先生が号**レイ**をかける。（　）

18 **レイ**を挙げてわかりやすく話す。（　）

7級

第4章

テーマ別 本試験型《がた》問題

※それぞれの見開きごとに「目標時間」、「合格《かく》ライン」、「得点《とく》」のらんがあります。目標時間内に合格《かく》ラインの点数より多く得点《とく》できるよう、がんばりましょう。

※第４章の答えは別冊《べっさつ》43～48ページにあります。

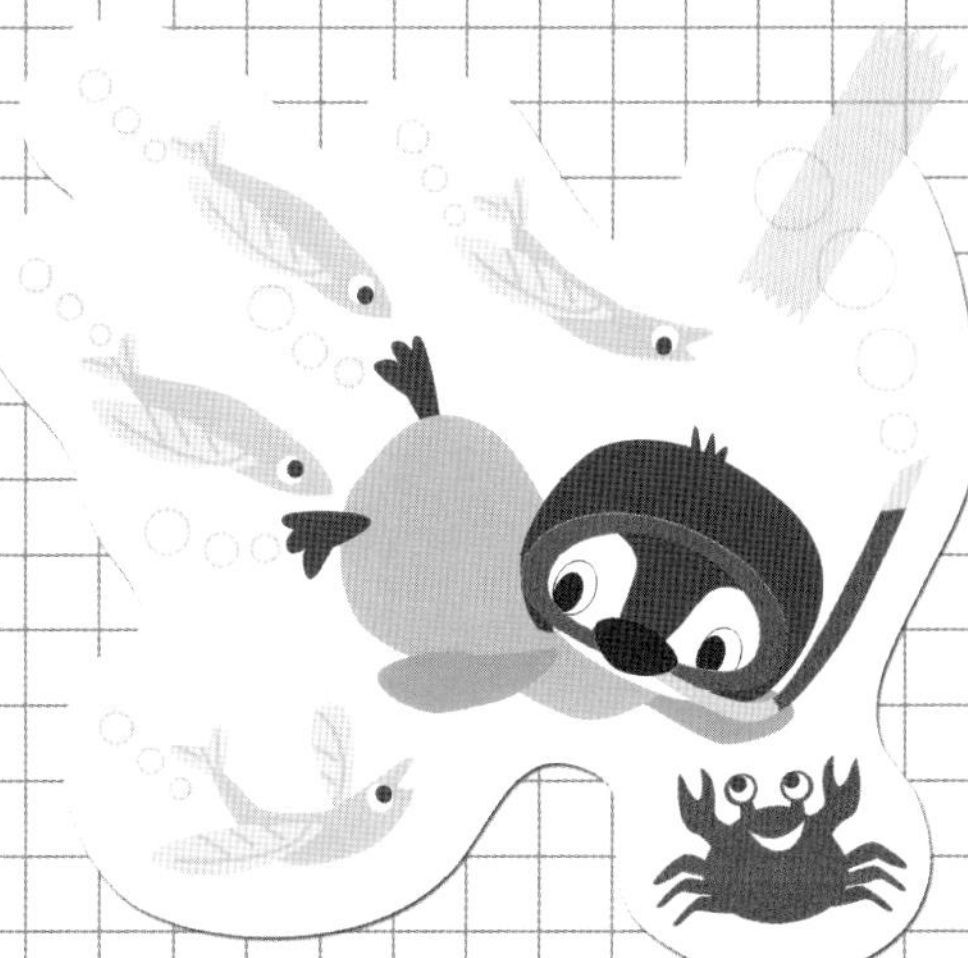

A ランク

漢字えらび

●次の――線の**カタカナ**に合う**漢字**をえらんで答えのらんに**記号**で書きなさい。

1 冬物の**イ**服をしまう。（ア 委　イ 医　ウ 衣）（　）

2 デパートは駅の北に**イ**置している。（ア 位　イ 以　ウ 意）（　）

3 **カ**物列車が鉄橋をわたる。（ア 加　イ 課　ウ 貨）（　）

4 新しい道路が**カン**成した。（ア 完　イ 関　ウ 官）（　）

5 円の直**ケイ**の長さをはかる。（ア 軽　イ 形　ウ 径）（　）

6 油でよごれた食**キ**をあらう。（ア 器　イ 旗　ウ 機）（　）

7 近ごろは天**コウ**が不順だ。（ア 向　イ 候　ウ 康）（　）

8 パーティーで**シ**会をする。（ア 試　イ 司　ウ 氏）（　）

9 部屋が暗くて**ショウ**明をつけた。（ア 松　イ 商　ウ 照）（　）

10 予算が三**チョウ**円をこえた。（ア 兆　イ 帳　ウ 丁）（　）

11 考えが根**テイ**からくつがえされた。（ア 庭　イ 低　ウ 底）（　）

12 百点を取るのが目**ヒョウ**だ。（ア 標　イ 票　ウ 表）（　）

目標時間 10分

合格ライン 20点

得点 ／28

月　日

13 この**フ**近には店がない。
（ア 付 イ 富 ウ 夫）（　）

14 試験**カン**に薬品を入れる。
（ア 官 イ 管 ウ 館）（　）

15 **キュウ**食当番がパンを配る。
（ア 給 イ 求 ウ 球）（　）

16 学校の屋上から見える風**ケイ**がすきだ。
（ア 計 イ 係 ウ 景）（　）

17 いつも**ケン**康に気をつけている。
（ア 研 イ 健 ウ 建）（　）

18 エアコンから**レイ**気が出てきた。
（ア 令 イ 冷 ウ 礼）（　）

19 合唱コンクールの**カ**題曲を歌う。
（ア 果 イ 貨 ウ 課）（　）

20 兄は進学を**キ**望している。
（ア 希 イ 季 ウ 期）（　）

21 図書館は公**キョウ**の建物だ。
（ア 協 イ 橋 ウ 共）（　）

22 弟はカレーライスが大**コウ**物だ。
（ア 幸 イ 好 ウ 功）（　）

23 用紙に**シ**名と住所を書く。
（ア 司 イ 氏 ウ 仕）（　）

24 **ジ**童公園でサッカーをして遊ぶ。
（ア 児 イ 自 ウ 事）（　）

25 テニスには自**シン**がある。
（ア 身 イ 臣 ウ 信）（　）

26 きず口に包**タイ**をまいてもらう。
（ア 隊 イ 対 ウ 帯）（　）

27 何の**フ**便もありません。
（ア 府 イ 阜 ウ 不）（　）

28 すき焼きの材**リョウ**を買いに行く。
（ア 料 イ 良 ウ 量）（　）

Bランク

漢字えらび

目標時間 10分

合格ライン 20点

得点 ／28

月　日

●次の――線のカタカナに合う漢字をえらんで答えのらんに記号で書きなさい。

1 仕事で成**コウ**をおさめる。
（ア 向　イ 功　ウ 好）（　　）

2 サッカーの**シ**合が行われる。
（ア 試　イ 氏　ウ 使）（　　）

3 弟とけんかしたことを反**セイ**する。
（ア 省　イ 成　ウ 清）（　　）

4 **ソウ**庫の荷物をトラックに運ぶ。
（ア 争　イ 倉　ウ 送）（　　）

5 友達がいなかったので**デン**言を残す。
（ア 伝　イ 電　ウ 田）（　　）

6 選挙の投**ヒョウ**用紙をわたす。
（ア 表　イ 票　ウ 標）（　　）

7 ぶどうの品種改**リョウ**に取り組む。
（ア 料　イ 両　ウ 良）（　　）

8 先生が子どもたちに号**レイ**をかけた。
（ア 例　イ 礼　ウ 令）（　　）

9 **イ**前のように仲よくなった。
（ア 位　イ 以　ウ 委）（　　）

10 駅前に**エイ**会話の学校がある。
（ア 英　イ 栄　ウ 泳）（　　）

11 **カン**光バスに乗って寺社をめぐった。
（ア 観　イ 関　ウ 官）（　　）

12 ダンスを始めた動**キ**を話す。
（ア 起　イ 機　ウ 記）（　　）

13 みんなで**キョウ**力して用意する。（ア 強　イ 競　ウ 協）（　）

14 書店で算数の**サン**考書を買う。（ア 参　イ 産　ウ 散）（　）

15 国語**ジ**典で言葉の意味を調べる。（ア 辞　イ 治　ウ 児）（　）

16 野**サイ**をサラダにして食べる。（ア 祭　イ 菜　ウ 細）（　）

17 労**ドウ**力が不足している。（ア 働　イ 童　ウ 動）（　）

18 わたり鳥が**ヒ**来する季節となる。（ア 皮　イ 飛　ウ 悲）（　）

19 都道**フ**県の代表が会議をする。（ア 夫　イ 付　ウ 府）（　）

20 体調がよくないので休**ヨウ**する。（ア 養　イ 様　ウ 要）（　）

21 父は重**リョウ**挙げの選手だった。（ア 良　イ 料　ウ 量）（　）

22 **グン**手をはめて作業する。（ア 郡　イ 軍　ウ 群）（　）

23 駅の**カイ**札口はこみ合っていた。（ア 開　イ 改　ウ 械）（　）

24 公園を毎朝**サン**歩する。（ア 参　イ 産　ウ 散）（　）

25 約**ソク**したのに来なかった。（ア 側　イ 束　ウ 足）（　）

26 列の**サイ**後にならんだ。（ア 才　イ 祭　ウ 最）（　）

27 大根を**ホウ**丁で切る。（ア 放　イ 法　ウ 包）（　）

28 学級新聞を**イン**刷する。（ア 引　イ 印　ウ 員）（　）

A ランク

画数

● 次の上の漢字の**太い画のところは筆順の何画目か**、下の漢字の**総《そう》画数は何画か**、**算用数字**（1、2、3…）で答えなさい。

〈例〉正［3］ 字［6］

1 愛 ［　］
2 案 ［　］
3 億 ［　］
4 貨 ［　］

5 械 ［　］
6 害 ［　］
7 観 ［　］
8 願 ［　］

9 旗 ［　］
10 器 ［　］
11 機 ［　］
12 議 ［　］
13 漁 ［　］

14 郡 ［　］
15 健 ［　］
16 験 ［　］
17 埼 ［　］
18 刷 ［　］

目標時間 20分

合格ライン 33点

得　点 ／46

月　日

19 察
20 初
21 焼
22 臣
23 孫
24 隊
25 単

---

26 低
27 典
28 働
29 徳
30 栃
31 梨
32 梅

---

33 博
34 飯
35 飛
36 別
37 望
38 牧
39 無

---

40 要
41 養
42 陸
43 輪
44 類
45 老
46 録

B ランク

画数

● 次の上の漢字の**太い画**のところは**筆順の何画目**か、下の漢字の**総《そう》画数は何画**か、**算用数字**（1、2、3…）で答えなさい。

〈例〉正［3］ 字［6］

1	2	3	4
課	芽	官	希
□	□	□	□

5	6	7	8
季	求	給	挙
□	□	□	□

9	10	11	12	13
競	熊	径	候	康
□	□	□	□	□

14	15	16	17	18
差	司	種	祝	順
□	□	□	□	□

目標時間 20分

合格ライン 33点

得点 ／46

月 日

19 成
20 清
21 席
22 節
23 戦
24 選
25 巣

26 帯
27 達
28 置
29 兆
30 兵
31 法
32 満

33 勇
34 良
35 連
36 氏
37 散
38 試
39 努

40 辞
41 栄
42 鏡
43 芸
44 結
45 昨
46 標

A ランク

音読み・訓読み

目標時間 10分

合格ライン 33点

得　点　／46　月　日

● 次の漢字の読みは、**音読み（ア）**ですか、**訓読み（イ）**ですか。**記号**で答えなさい。

〈例〉力《ちから》 → イ

1 愛《あい》
2 位《くらい》
3 印《しるし》
4 英《えい》

5 栄《えい》
6 塩《しお》
7 億《おく》
8 芽《め》

9 街《まち》
10 管《くだ》
11 関《せき》
12 旗《はた》
13 漁《りょう》

14 共《とも》
15 軍《ぐん》
16 郡《ぐん》
17 固《こ》
18 菜《な》

19 札《ふだ》
20 刷《さつ》
21 参《さん》
22 種《たね》
23 松《まつ》
24 倉《くら》
25 側《がわ》

26 孫《そん》
27 法《ほう》
28 仲《なか》
29 兆《ちょう》
30 底《そこ》
31 的《まと》
32 特《とく》

33 夫《おっと》
34 副《ふく》
35 兵《へい》
36 便《べん》
37 牧《ぼく》
38 末《すえ》
39 無《ぶ》

40 民《みん》
41 勇《ゆう》
42 要《かなめ》
43 良《りょう》
44 飯《めし》
45 冷《れい》
46 老《ろう》

B ランク

音読み・訓読み

目標時間 10分

合格ライン 33点

得点 ／46 月 日

● 次の漢字の読みは、**音読み（ア）**ですか、**訓読み（イ）**ですか。**記号**で答えなさい。

〈例〉力《ちから》 → イ

1 位《い》 □
2 輪《わ》 □
3 果《か》 □
4 害《がい》 □

5 管《かん》 □
6 関《かん》 □
7 鏡《かがみ》 □
8 群《むら》 □

9 芸《げい》 □
10 香《か》 □
11 埼《さい》 □
12 初《はつ》 □
13 唱《しょう》 □

14 清《せい》 □
15 席《せき》 □
16 折《おり》 □
17 節《ふし》 □
18 説《せつ》 □

19 束《たば》
20 側《そく》
21 卒《そつ》
22 単《たん》
23 沖《おき》
24 的《てき》
25 徳《とく》

26 奈《な》
27 熱《ねつ》
28 敗《はい》
29 梅《うめ》
30 飯《はん》
31 票《ひょう》
32 付《ふ》

33 府《ふ》
34 富《とみ》
35 孫《まご》
36 辺《へん》
37 末《まつ》
38 茨《いばら》
39 努《ど》

40 岡《おか》
41 帯《おび》
42 約《やく》
43 例《れい》
44 城《しろ》
45 労《ろう》
46 連《れん》

A ランク

対義語《ぎ》

●後の□の中のひらがなを漢字になおして、意味が反対や対《つい》になることば（対義語《ぎ》）を書きなさい。□の中のひらがなは**一度だけ**使い、答えのらんに**漢字一字**を書きなさい。

目標時間 15分

合格ライン 17点

得点 ／24

月　日

〈例〉室内―室外

病気―［1］康（　）

冷水―［2］湯（　）

高い―［3］い（　）

平等―［4］別（　）

最後―最［5］（　）

けん・さ・しょ・ねっ・ひく

人工―天［6］（　）

失敗―成［7］（　）

深い―［8］い（　）

入学―［9］業（　）

起立―着［10］（　）

あさ・こう・せき・そつ・ねん

有名 ― 11 名（　）

高温 ― 12 温（　）

年始 ― 年 13（　）

勝者 ― 14 者（　）

不便 ― 便 15（　）

明日 ― 16 日（　）

平行 ― 交 17（　）

さ・さく・てい・はい・まつ
む・り

平和 ― 18 争（　）

最悪 ― 最 19（　）

先生 ― 生 20（　）

笑う ― 21 く（　）

出席 ― 22 席（　）

勝利 ― 23 北（　）

有料 ― 24 料（　）

けっ・せん・と・な・はい
む・りょう

B ランク

対義語《ぎ》

●後の□の中のひらがなを漢字になおして、意味が反対や対《つい》になることば（対義語《ぎ》）を書きなさい。□の中のひらがなは**一度だけ**使い、答えのらんに**漢字一字**を書きなさい。

目標時間 15分

合格ライン 17点

得点 ／24

月　日

〈例〉室内―室外

中心―周[1]（　）

成功―[2]敗（　）

集まる―[3]る（　）

運動―[4]止（　）

主食―[5]食（　）

しっ・せい・ち・ふく・へん

来年―[6]年（　）

中止―[7]行（　）

欠ける―[8]ちる（　）

最高―最[9]（　）

海洋―大[10]（　）

さく・ぞっ・てい・み・りく

有力 ― 11 力（　）
人工 ― 自 12（　）
向上 ― 13 下（　）
熱い ― 14 たい（　）
海路 ― 15 路（　）
発病 ― 全 16（　）
決定 ― 17 定（　）

ぜん・ち・つめ・てい・み
む・りく

海面 ― 海 18（　）
期待 ― 失 19（　）
有色 ― 20 色（　）
泣く ― 21 う（　）
悪天 ― 22 天（　）
未完 ― 完 23（　）
本業 ― 24 業（　）

けつ・こう・てい・ふく・ぼう
む・わら

A ランク

送りがな

目標時間 **20**分

合格ライン **21**点

得点　　／30
月　日

● 次の——線の**カタカナ**を○の中の漢字と**送りがな（ひらがな）**で答えのらんに書きなさい。

〈例〉（正）**タダシイ**字を書く。　正しい

1 （結）くつのひもを**ムスブ**。（　　）

2 （栄）その国はとても**サカエ**た。（　　）

3 （加）チームに外国人が**クワワル**。（　　）

4 （改）考え方を**アラタメル**。（　　）

5 （覚）新しい漢字を**オボエル**。（　　）

6 （固）あの人は頭が**カタイ**。（　　）

7 （求）計算して答えを**モトメル**。（　　）

8 （欠）コップの口が**カケル**。（　　）

9 （建）駅前にビルを**タテル**。（　　）

10 （好）パンよりご飯を**コノム**。（　　）

11 （散）料理にパセリを**チラス**。（　　）

12 （試）別の方法を**ココロミル**。（　　）

13 治 薬でかゆみが**オサマル**。（　　）

14 失 大切なものを**ウシナウ**。（　　）

15 借 友人から本を**カリル**。（　　）

16 照 ステージの上を**テラス**。（　　）

17 戦 五人を相手に一人で**タタカウ**。（　　）

18 選 プレゼントを**エラブ**。（　　）

19 争 となりの国と**アラソウ**。（　　）

20 伝 電話があったことを**ツタエル**。（　　）

21 努 うまくいくように**ツトメル**。（　　）

22 働 北海道の牧場で**ハタラク**。（　　）

23 敗 あと一歩のところで**ヤブレル**。（　　）

24 必 来週も**カナラズ**行きます。（　　）

25 包 野菜を新聞紙で**ツツム**。（　　）

26 勇 **イサマシイ**行進曲だ。（　　）

27 養 親が子を**ヤシナウ**。（　　）

28 浴 シャワーを**アビル**。（　　）

29 冷 冬の朝は水が**ツメタイ**。（　　）

30 覚 朝になると自然に目が**サメル**。（　　）

Bランク

送りがな

● 次の――線のカタカナを○の中の漢字と送りがな（ひらがな）で答えのらんに書きなさい。

〈例〉㊣タダシイ字を書く。　正しい

1 ㊉加　料理に塩をクワエル。（　　）
2 ㊉覚　物音で赤ちゃんが目をサマス。（　　）
3 ㊉最　今、モットモ有名な歌手だ。（　　）
4 ㊉挙　わかりやすい例をアゲル。（　　）
5 ㊉願　世界の平和をネガウ。（　　）
6 ㊉香　カオリの良い花がさいている。（　　）

7 ㊉群　野生動物がムレル。（　　）
8 ㊉残　買ってきたプリンが一つノコル。（　　）
9 ㊉祝　家族で正月をイワウ。（　　）
10 ㊉笑　うれしそうにワラウ。（　　）
11 ㊉唱　おまじないの言葉をトナエル。（　　）
12 ㊉焼　おいしそうにもちがヤケル。（　　）

目標時間 20分

合格ライン 21点

得点 ／30

月　日

13 省 細かい説明を**ハブク**。（　　）

14 清 ひしゃくの水で手を**キヨメル**。（　　）

15 静 図書館の中は**シズカダ**。（　　）

16 折 風で木のえだが**オレル**。（　　）

17 浅 この川はとても**アサイ**。（　　）

18 続 つらい練習を**ツヅケル**。（　　）

19 帯 服が静電気を**オビル**。（　　）

20 低 弟より身長が**ヒクイ**。（　　）

21 伝 良い知らせが**ツタワル**。（　　）

22 飛 たんぽぽは遠くに種を**トバス**。（　　）

23 付 シャツにしみを**ツケル**。（　　）

24 別 友人と三時に**ワカレル**。（　　）

25 変 秋になり葉の色が**カワル**。（　　）

26 望 委員になることを**ノゾム**。（　　）

27 満 水そうに水を**ミタス**。（　　）

28 量 週に一回は体重を**ハカル**。（　　）

29 冷 気温が下がって体が**ヒエル**。（　　）

30 連 いくつもの山が**ツラナル**。（　　）

同じ部首の漢字

目標時間 20分
合格ライン 34点
得点 ／48
月　日

● 次の**部首のなかまの漢字**で□にあてはまる**漢字一字**を、答えのらんに書きなさい。

〈例〉イ（にんべん）　体《たい》力・工作《さく》

ア　亻（にんべん）

労 1 □《どう》・2 □《けん》康・両 3 □《がわ》

4 □《い》置・5 □《しん》用・6 □《なか》間

気 7 □《こう》・8 □《でん》説・9 □《しゃっ》金

三 10 □《おく》円

イ　氵（さんずい）

11 □《ぎょ》業・12 □《せい》書・入 13 □《よく》

不 14 □《まん》・遠 15 □《あさ》・16 □《な》き顔

競 17 □《えい》・電 18 □《ぱ》・19 □《しょう》灯

自 20 □《ち》会

ウ　辶（しんにょう・しんにゅう）

上21□《たつ》・22□《れん》休・海23□《べ》

24□《そく》度・25□《せん》手・26□《つい》加

27□《ゆう》園地

エ　木（きへん）

28□《まつ》林・南29□《きょく》・題30□《ざい》

目31□《ひょう》・32□《き》会・大33□《こん》

千円34□《さつ》

オ　糸（いとへん）

初35□《きゅう》・36□《やく》束・37□《きゅう》食

訓38□《れん》・39□《けっ》果・40□《ぞっ》行

41□《しゅう》点

カ　艹（くさかんむり）

42□《えい》語・園43□《げい》・発44□《が》

山45□《さい》・46□《やく》品・47□《に》物

48□《く》労

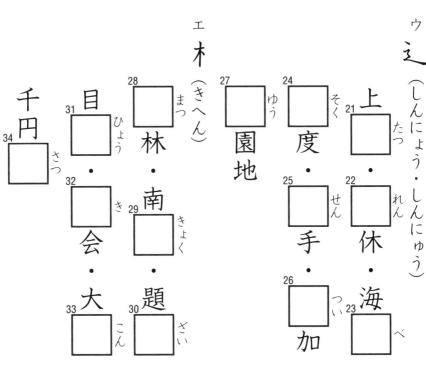

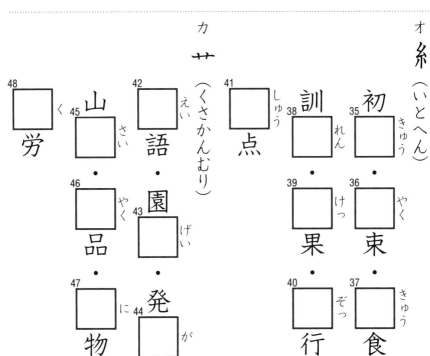

B
ランク

同じ部首の漢字

目標時間
18分

合格ライン
31点

得点
／44
月　日

● 次の**部首のなかまの漢字**で□にあてはまる**漢字一字**を、答えのらんに書きなさい。

〈例〉イ（にんべん）
体《たい》力・工作《さく》

ア　彳（ぎょうにんべん）
生1□《と》・直2□《けい》・3□《たい》望

イ　囗（くにがまえ）
4□《えん》芸・5□《こ》体・6□《ず》案

ウ　力（ちから）
7□《ど》力・苦8□《ろう》・9□《ゆう》気

エ　心（こころ）
感10□《そう》・記11□《ねん》・12□《あい》犬

オ　攵（のぶん・ぼくづくり）
13□《かい》心・勝14□《はい》・分15□《さん》

カ　口（くち）
楽16□《き》・17□《し》会・18□《しゅう》辺

キ　阝（こざとへん）
19□《りく》地・太20□《よう》・登山21□《たい》

ク　宀（うかんむり）
観22□《さつ》・23□《かん》全・長24□《かん》

ケ　灬（れんが・れっか）
25□《しょう》明・26□《ねっ》心・自27□《ぜん》

コ　刂（りっとう）
28□《ふく》食・29□《り》用・印30□《さつ》
整31□《れつ》

サ　⺮（たけかんむり）
血32□《かん》・33□《せつ》分・巣34□《ばこ》

シ　金（かねへん）
記35□《ろく》・36□《ぎん》行・三面37□《きょう》

ス　广（まだれ）
船38□《ぞこ》・健39□《こう》・京都40□《ふ》

セ　言（ごんべん）
会41□《ぎ》・相42□《だん》・43□《せつ》明
放44□《か》後

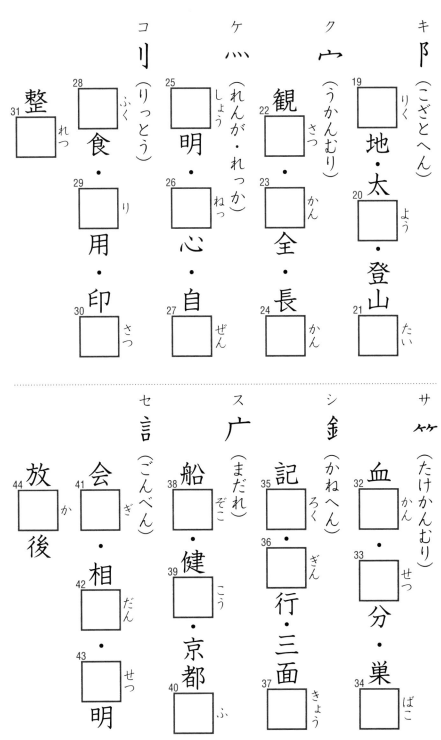

A ランク

同じ読みの漢字

目標時間 17分

合格ライン 26点

得点 ／36

月　日

● 次の――線の**カタカナ**を**漢字**になおして答えのらんに書きなさい。

1 テーブルの**イ**置を変える。（　　）

2 冬の**イ**服をたんすにしまう。（　　）

3 **カ**物列車が通りすぎていった。（　　）

4 放**カ**後はまっすぐ家に帰る。（　　）

5 友人と会う**キ**会をつくる。（　　）

6 食**キ**をきれいにあらう。（　　）

7 国**キ**を高くかかげた。（　　）

8 四**キ**のうつり変わりを楽しむ。（　　）

9 アメリカ人から**エイ**語を教わる。（　　）

10 昔の**エイ**光をふり返る。（　　）

11 大雨で水**ガイ**に見まわれた。（　　）

12 商店**ガイ**で買い物をする。（　　）

13 今日の**キュウ**食が楽しみだ。（　　）

14 **キュウ**人広告《こく》を見て仕事をさがす。（　　）

15 望遠**キョウ**を買ってもらう。（　　）

16 **キョウ**通の話題をさがす。（　　）

17 三回転ジャンプに成**コウ**する。（　　）

18 いつも健**コウ**に気をつける。（　　）

19 近ごろ天**コウ**が変わりやすい。（　　）

20 母の作る肉じゃがが**コウ**物だ。（　　）

21 重**ヨウ**な書類をなくしてしまった。（　　）

22 家で十分に休**ヨウ**をとる。（　　）

23 **シ**合は逆《ぎゃく》転勝利で終わった。（　　）

24 会議の**シ**会をする。（　　）

25 合**ショウ**コンクールが行われる。（　　）

26 **ショウ**明を明るくする。（　　）

27 家の近くを**サン**歩する。（　　）

28 書店で学習**サン**考書を買う。（　　）

29 道**トク**の時間に話し合いをした。（　　）

30 わかめが**トク**産品だ。（　　）

31 **ロウ**人会の会長をする。（　　）

32 苦**ロウ**して会社をつくる。（　　）

33 海**テイ**から船が見つかった。（　　）

34 **テイ**学年の児童といっしょに遊ぶ。（　　）

35 テストの結**カ**が悪かった。（　　）

36 水産物を**カ**工して売る。（　　）

Bランク

同じ読みの漢字

目標時間　17分

合格ライン　26点

得　点　　／36

月　日

●次の——線のカタカナを漢字になおして答えのらんに書きなさい。

1 マラソンを**カン**走することができた。（　　）

2 社会のできごとに**カン**心をもつ。（　　）

3 試験**カン**が問題用紙を配る。（　　）

4 試験**カン**に薬品を入れる。（　　）

5 おこづかいを**セツ**約する。（　　）

6 人気作家の小**セツ**を読む。（　　）

7 残った品物を**ソウ**庫にしまう。（　　）

8 戦**ソウ**のない社会をめざす。（　　）

9 具合が悪いので安**セイ**にする。（　　）

10 今までの行いを反**セイ**する。（　　）

11 子どもの**セイ**長を記録する。（　　）

12 下書きした作文を**セイ**書する。（　　）

13 算数には自**シン**がある。（　　）

14 家族で写**シン**をとる。（　　）

15 虫の様子をくわしく観**サツ**する。（　　）

16 千円**サツ**をさいふから取り出す。（　　）

17 けがをしたうでに包**タイ**をまく。

18 音楽**タイ**が行進している。

19 体育館に**ジ**童が集まった。

20 国語**ジ**典を買ってもらう。

21 投**ヒョウ**用紙に名前を書く。

22 目**ヒョウ**は全国大会出場だ。

23 母は新潟県の**グン**部で生まれた。

24 鳥の大**グン**が飛んでいった。

25 都道**フ**県の名前を覚える。

26 あれが田中さんとその**フ**人だ。

27 分**リョウ**をはかってから入れる。

28 今日だけ入場**リョウ**が百円だ。

29 ドラマの**サイ**終回が気になる。

30 野**サイ**をたくさん食べる。

31 のどかな風**ケイ**が続く。

32 円の直**ケイ**をはかる。

33 相手の**ケッ**点に目をつぶる。

34 テストの**ケッ**果に満足する。

35 長方形の面**セキ**を求める。

36 バスで空**セキ**を見つけた。

A ランク

じゅく語作り

目標時間 18分

合格ライン 24点

得点 ／34

月　日

● 上の漢字と下の□の中の漢字を組み合わせて**二字のじゅく語を二つ**作り、答えのらんに**記号**で書きなさい。

〈例〉校　ア門　イ学　ウ海　エ体　オ読

イ校　校ア

一、管　ア血　イ理　ウ季　エ愛　オ博

1 管　管 2

二、願　ア材　イ書　ウ念　エ兆　オ博

3 願　願 4

三、漁　ア大　イ業　ウ配　エ典　オ未

5 漁　漁 6

1（　）　2（　）　3（　）　4（　）　5（　）　6（　）

四、果　ア省　イ栄　ウ景　エ結　オ物

7 果　果 8

五、辞　ア祝　イ典　ウ灯　エ隊　オ兵

9 辞　辞 10

六、種　ア品　イ目　ウ的　エ富　オ観

11 種　種 12

七、満　ア借　イ無　ウ円　エ足　オ菜

13 満　満 14

7（　）　8（　）　9（　）　10（　）　11（　）　12（　）　13（　）　14（　）

八、信
ア号　イ自　ウ令　エ特　オ夫
15 信 信 16

九、達
ア然　イ成　ウ続　エ側　オ配
17 達 達 18

十、的
ア上　イ目　ウ中　エ極　オ説
19 的 的 20

十一、徒
ア季　イ働　ウ包　エ歩　オ生
21 徒 徒 22

十二、灯
ア卒　イ消　ウ台　エ訓　オ炭
23 灯 灯 24

15（　）16（　）17（　）18（　）19（　）20（　）21（　）22（　）23（　）24（　）

十三、共
ア英　イ公　ウ同　エ友　オ功
25 共 共 26

十四、民
ア住　イ努　ウ話　エ典　オ協
27 民 民 28

十五、約
ア束　イ節　ウ輪　エ置　オ階
29 約 約 30

十六、要
ア必　イ栄　ウ衣　エ求　オ飛
31 要 要 32

十七、録
ア械　イ画　ウ周　エ城　オ付
33 録 録 34

25（　）26（　）27（　）28（　）29（　）30（　）31（　）32（　）33（　）34（　）

B ランク

じゅく語作り

目標時間 18分

合格ライン 24点

得点 ／34

月 日

● 上の漢字と下の□の中の漢字を組み合わせて**二字のじゅく語を二つ作り、**答えのらんに**記号**で書きなさい。

〈例〉 校 ［ア門 イ学 ウ海 エ体 オ読］ イ校 校ア

一、衣 ［ア訓 イ談 ウ着 エ類 オ卒］ 1衣 衣2

二、加 ［ア参 イ工 ウ民 エ訓 オ課］ 3加 加4

三、完 ［ア成 イ働 ウ別 エ未 オ老］ 5完 完6

1（　） 2（　） 3（　） 4（　） 5（　） 6（　）

四、求 ［ア要 イ人 ウ例 エ付 オ器］ 7求 求8

五、給 ［ア月 イ食 ウ極 エ景 オ界］ 9給 給10

六、訓 ［ア案 イ練 ウ芸 エ功 オ教］ 11訓 訓12

七、群 ［ア芸 イ落 ウ兵 エ大 オ差］ 13群 群14

7（　） 8（　） 9（　） 10（　） 11（　） 12（　） 13（　） 14（　）

八、産

ア働 イ命 ウ名 エ業 オ老

15 産 / 産 16

九、説

ア票 イ小 ウ灯 エ連 オ明

17 説 / 説 18

十、側

ア兆 イ両 ウ面 エ便 オ労

19 側 / 側 20

十一、隊

ア兵 イ員 ウ果 エ票 オ卒

21 隊 / 隊 22

十二、底

ア然 イ未 ウ鏡 エ辺 オ海

23 底 / 底 24

15（　） 16（　） 17（　） 18（　） 19（　） 20（　） 21（　） 22（　） 23（　） 24（　）

十三、徳

ア美 イ材 ウ用 エ位 オ最

25 徳 / 徳 26

十四、念

ア残 イ完 ウ案 エ願 オ民

27 念 / 念 28

十五、牧

ア場 イ放 ウ極 エ勇 オ氏

29 牧 / 牧 30

十六、養

ア栄 イ票 ウ民 エ分 オ信

31 養 / 養 32

十七、良

ア訓 イ心 ウ信 エ卒 オ改

33 良 / 良 34

25（　） 26（　） 27（　） 28（　） 29（　） 30（　） 31（　） 32（　） 33（　） 34（　）

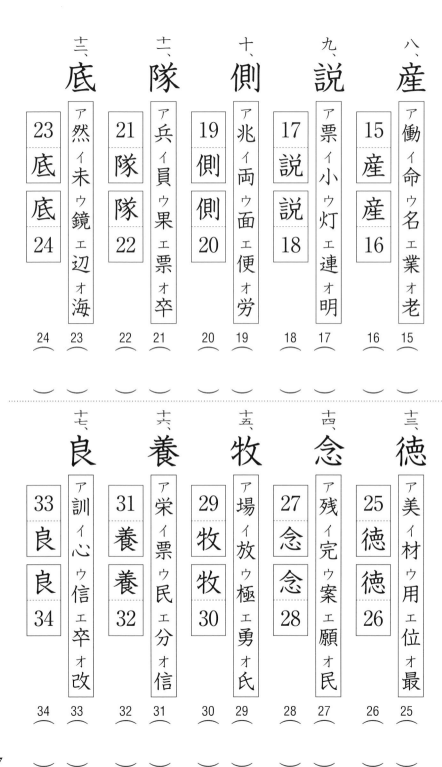

C ランク

じゅく語作り

目標時間 18分

合格ライン 24点

得点 ／34

月　日

● 上の漢字と下の□の中の漢字を組み合わせて**二字のじゅく語を二つ**作り、答えのらんに**記号**で書きなさい。

〈例〉校　ア門　イ学　ウ海　エ体　オ読

イ校　校ア

一、案　ア名　イ省　ウ不　エ心　オ外

1案　案2

二、印　ア倉　イ録　ウ矢　エ刷　オ徒

3印　印4

三、観　ア参　イ校　ウ量　エ察　オ単

5観　観6

1（　）　2（　）　3（　）　4（　）　5（　）　6（　）

四、器　ア食　イ康　ウ牧　エ街　オ具

7器　器8

五、議　ア協　イ題　ウ材　エ不　オ松

9議　議10

六、景　ア博　イ品　ウ好　エ候　オ光

11景　景12

七、欠　ア守　イ出　ウ唱　エ消　オ席

13欠　欠14

7（　）　8（　）　9（　）　10（　）　11（　）　12（　）　13（　）　14（　）

八、結
ア法 イ梅 ウ直 エ末 オ単
15□結
結□16
15（　） 16（　）

九、固
ア昨 イ強 ウ軍 エ関 オ定
17□固
固□18
17（　） 18（　）

十、失
ア消 イ建 ウ法 エ景 オ望
19□失
失□20
19（　） 20（　）

十一、順
ア副 イ打 ウ番 エ功 オ貨
21□順
順□22
21（　） 22（　）

十二、節
ア孫 イ牧 ウ水 エ希 オ調
23□節
節□24
23（　） 24（　）

十三、戦
ア対 イ老 ウ博 エ場 オ松
25□戦
戦□26
25（　） 26（　）

十四、賀
ア勇 イ正 ウ年 エ労 オ札
27□賀
賀□28
27（　） 28（　）

十五、熱
ア加 イ望 ウ案 エ官 オ軍
29□熱
熱□30
29（　） 30（　）

十六、敗
ア景 イ者 ウ順 エ単 オ失
31□敗
敗□32
31（　） 32（　）

十七、変
ア票 イ化 ウ辞 エ不 オ負
33□変
変□34
33（　） 34（　）

第1回 7級 もぎ試験問題 答え

別冊《べっさつ》 14~19ページ

1

1 あた
2 しぜん
3 つた
4 やぶ
5 はた
6 かがみ
7 ぐんて
8 か
9 た
10 のこ
11 じてん
12 たば
13 まわ
14 あくてんこう
15 と
16 しず
17 わか
18 か
19 お
20 しんるい

2

1 ち
2 さんぽ
3 かいせい
4 あらた
5 こてい
6 かた
7 かこう
8 くわ
9 どりょく
10 つと

3

1 イ
2 ア
3 イ
4 ウ
5 ア
6 ア
7 ウ
8 ウ
9 ウ
10 イ

4

1 4
2 8
3 9
4 10
5 9
6 6
7 8
8 12
9 8
10 7

5

1 イ
2 ア
3 イ
4 イ
5 ア
6 イ
7 イ
8 イ
9 イ
10 イ

6

1 副
2 陸
3 徒
4 無
5 席

7

1 治る
2 参る
3 争う
4 熱い
5 祝う
6 挙げる
7 働く

8

1 札
2 材
3 極
4 官
5 完
6 害
7 漁
8 浅
9 浴
10 法

9

1 衣
2 位
3 器
4 季
5 良
6 量
7 官
8 観

10

1 ウ
2 オ
3 ア
4 エ
5 イ
6 ア
7 オ
8 ウ
9 イ
10 オ

11

1 必
2 借
3 続
4 冷
5 種
6 英
7 輪
8 億
9 積
10 覚
11 芸
12 笑
13 説
14 勇
15 戦
16 仲
17 司
18 底
19 願
20 泣

第2回 7級 もぎ試験問題 答え

別冊《べっさつ》 20～25ページ

1

1 あ
2 じゅんちょう
3 あらた
4 いんさつ
5 つづ
6 もっと
7 こころ
8 かくち
9 せいしょ
10 て
11 くんれん
12 じっけん
13 なわ
14 おさ
15 め
16 とほ
17 はたら
18 ねが
19 あんがい
20 お

2

1 あんしょう
2 とな
3 しょきゅう
4 はじ
5 させつ
6 お
7 れんきゅう
8 つら
9 しお
10 えんぶん

3

1 ア
2 ア
3 ア
4 イ
5 ア
6 ウ
7 イ
8 ア
9 イ
10 ア

4

1 9
2 8
3 3
4 8
5 3
6 10
7 7
8 9
9 11
10 11

5

1 イ
2 ア
3 イ
4 ア
5 ア
6 ア
7 イ
8 ア
9 イ
10 ア

6

1 昨
2 然
3 失
4 差
5 卒

7

1 必ず
2 伝える
3 望む
4 冷たく
5 覚ます
6 借りる
7 養う

8

1 億
2 仲
3 便
4 芸
5 菜
6 苦
7 選
8 達
9 辺
10 追

9

1 貨
2 課
3 標
4 票
5 参
6 散
7 候
8 好

10

1 ア
2 オ
3 エ
4 ア
5 イ
6 オ
7 オ
8 ウ
9 ア
10 ウ

11

1 巣
2 旗
3 録
4 置
5 焼
6 漁
7 極
8 浅
9 帯
10 博
11 井
12 席
13 臣
14 未
15 飛
16 愛
17 残
18 競
19 祝
20 固

７級の本試験の答案用紙のサンプル

８級は問題と答えを書くらんが同じ紙に印刷されていますが、７級は問題用紙と答案用紙は別です。

答案用紙はB４サイズで、うらまで続いています。

おもて面

訂正

性《せい》別

男　女

生年月日

西暦《れき》　年　月　日

※印字されていない場合は、□の中に生年月日を記入。

＜記入例＞
生年月日が2001年(平成13年)１月１日なら
2001年01月01日

訂正

西暦《れき》　年　月　日

※生年月日がちがう場合、訂《てい》正□にマークし、
□の中に正しい生年月日を記入。

□のぬりかた

○のように□をきれいにぬりつぶしてください。

ご記入いただきました個人情報は、当協会の検定にかかわる業務にのみ使用します。

(ただし、検定にかかわる業務に際し、業務提携会社に作業を委託する場合があります。)

ご記入いただきました個人情報にかかわるお問い合わせは、下記までおねがいします。

(公財) 日本漢字能力検定協会　http://www.kanken.or.jp/privacy/

(一) 読み (20) 1×20

11	10	9	8	7	6	5	4	3	2	1

(二) 読み (10) 1×10

7	6	5	4	3	2	1

(三) 漢字えらび(記号) (20) 2×10

5	4	3	2	1

(四) 画数(算用数字) (10) 1×10

7	6	5	4	3	2	1
画	画	画目	画目	画目	画目	画目

(五) 音読み・訓読み(記号) (20) 2×10

3	2	1

(六) 対義《ぎ》語(一字) (10) 2×5

2	1

※受検《けん》番号、氏名、生年月日などはあらかじめ印字されています。氏名や生年月日がちがう場合は訂《てい》正らんに記入しましょう。

うら面

(七) 漢字と送りがな（ひらがな） (14) 2×7

7	6	5	4	3	2	1

(八) 同じ部首の漢字 (20) 2×10

4	3	2	1

(九) 同じ読みの漢字 (16) 2×8

6	5	4	3	2	1

(十) じゅく語作り（記号） (20) 2×10

4	3	2	1

(十一) 漢字 (40) 2×20

11	10	9	8	7	6	5	4	3	2	1

その他の注意点

答案用紙はおりまげたり、よごしたりしてはいけません。

答えはHB以上のこいえんぴつまたはシャープペンシルで大きくはっきりと書きましょう。答えはすべて答案用紙に記入し、答えが書けなくても必ず出しましょう。

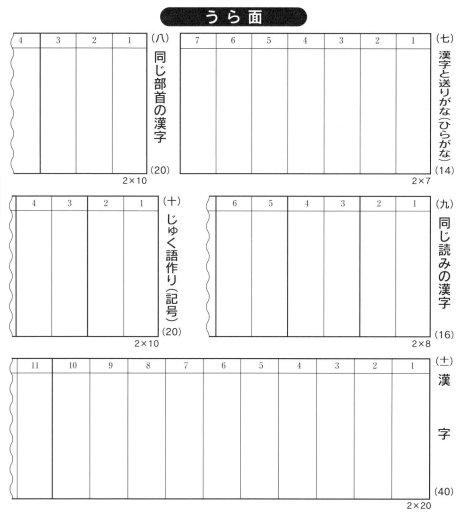

8級配当漢字表（50音順）

8級の配当漢字を50音順《じゅん》に並《なら》べました。「ページ」のらんは本文での掲載《けいさい》ページです。☆は中学校で習う読み、★は高校で習う読みです。

漢字	読み	画数	部首	ページ
悪	アク オ★ わる(い)	11	心	P.26
安	アン やす(い)	6	宀	P.20
暗	アン くら(い)	13	日	P.14
医	イ	7	匚	P.38
委	イ ゆだ(ねる)	8	女	P.38
意	イ	13	心	P.26
育	イク そだ(つ) そだ(てる) はぐく(む)	8	肉	P.8
員	イン	10	口	P.20
院	イン	10	阝	P.38
飲	イン の(む)	12	飠	P.14
運	ウン はこ(ぶ)	12	辶	P.14
泳	エイ およ(ぐ)	8	氵	P.14
駅	エキ	14	馬	P.14
央	オウ	5	大	P.20
横	オウ よこ	15	木	P.26
屋	オク や	9	尸	P.14
温	オン あたた(か) あたた(かい) あたた(まる) あたた(める)	12	氵	P.38
化	カ ケ☆ ば(ける) ば(かす)	4	匕	P.32
荷	カ☆ に	10	艹	P.20
界	カイ	9	田	P.26
開	カイ ひら(く) ひら(ける) あ(く) あ(ける)	12	門	P.26
階	カイ	12	阝	P.26
寒	カン さむ(い)	12	宀	P.38
感	カン	13	心	P.14
漢	カン	13	氵	P.44
館	カン やかた	16	飠	P.20
岸	ガン きし	8	山	P.8
起	キ お(きる) お(こる) お(こす)	10	走	P.8
期	キ ゴ★	12	月	P.20
客	キャク カク☆	9	宀	P.32
究	キュウ きわ(める)☆	7	穴	P.14
急	キュウ いそ(ぐ)	9	心	P.20
級	キュウ	9	糸	P.44
宮	キュウ グウ☆ ク★ みや	10	宀	P.44
球	キュウ たま	11	王	P.8
去	キョ コ さ(る)	5	厶	P.8
橋	キョウ はし	16	木	P.14
業	ギョウ ゴウ★ わざ☆	13	木	P.26
曲	キョク ま(がる) ま(げる)	6	曰	P.26
局	キョク	7	尸	P.38
銀	ギン	14	金	P.8
区	ク	4	匚	P.44
苦	ク くる(しい) くる(しむ) くる(しめる) にが(い) にが(る)	8	艹	P.32
具	グ	8	八	P.8
君	クン きみ	7	口	P.38
係	ケイ かか(る) かかり	9	亻	P.32
軽	ケイ かる(い) かろ(やか)☆	12	車	P.32
血	ケツ ち	6	血	P.38
決	ケツ き(める) き(まる)	7	氵	P.14
研	ケン と(ぐ)☆	9	石	P.14
県	ケン	9	目	P.44
庫	コ ク★	10	广	P.26
湖	コ みずうみ	12	氵	P.8
向	コウ む(く) む(ける) む(かう) む(こう)	6	口	P.20
幸	コウ さいわ(い) さち☆ しあわ(せ)	8	干	P.44
港	コウ みなと	12	氵	P.14
号	ゴウ	5	口	P.32
根	コン ね	10	木	P.15
祭	サイ まつ(る) まつ(り)	11	示	P.8
皿	さら	5	皿	P.15

漢字	読み	画数	部首	ページ
仕	シ ジ★ つか(える)	5	亻	P.44
死	シ し(ぬ)	6	歹	P.44
使	シ つか(う)	8	亻	P.44
始	シ はじ(める) はじ(まる)	8	女	P.20
指	シ ゆび さ(す)	9	扌	P.8
歯	シ は	12	歯	P.32
詩	シ	13	言	P.38
次	ジ シ☆ つ(ぐ) つぎ	6	欠	P.20
事	ジ ズ★ こと	8	亅	P.20
持	ジ も(つ)	9	扌	P.15
式	シキ	6	弋	P.38
実	ジツ み みの(る)	8	宀	P.15
写	シャ うつ(す) うつ(る)	5	冖	P.32
者	シャ もの	8	耂	P.44
主	シュ ス★ ぬし おも	5	丶	P.32
守	シュ ス まも(る) も(り)☆	6	宀	P.15
取	シュ と(る)	8	又	P.44
酒	シュ さけ さか	10	酉	P.44
受	ジュ う(ける) う(かる)	8	又	P.20
州	シュウ す☆	6	川	P.38
拾	シュウ☆ ジュウ☆ ひろ(う)	9	扌	P.21
終	シュウ お(わる) お(える)	11	糸	P.45
習	シュウ なら(う)	11	羽	P.15
集	シュウ あつ(まる) あつ(める) つど(う)☆	12	隹	P.21
住	ジュウ す(む) す(まう)	7	亻	P.21
重	ジュウ・チョウ え おも(い) かさ(ねる) かさ(なる)	9	里	P.32
宿	シュク やど やど(る) やど(す)	11	宀	P.45
所	ショ ところ	8	戸	P.8
暑	ショ あつ(い)	12	日	P.21
助	ジョ たす(ける) たす(かる) すけ☆	7	力	P.32
昭	ショウ	9	日	P.45
消	ショウ き(える) け(す)	10	氵	P.21
商	ショウ あきな(う)☆	11	口	P.38
章	ショウ	11	立	P.39
勝	ショウ か(つ) まさ(る)☆	12	力	P.26
乗	ジョウ の(る) の(せる)	9	ノ	P.32
植	ショク う(える) う(わる)	12	木	P.8
申	シン☆ もう(す)	5	田	P.39
身	シン み	7	身	P.33
神	シン ジン かみ かん☆ こう★	9	礻	P.33
真	シン ま	10	目	P.26
深	シン ふか(い) ふか(まる) ふか(める)	11	氵	P.26
進	シン すす(む) すす(める)	11	辶	P.39
世	セイ セ よ	5	一	P.9
整	セイ ととの(える) ととの(う)	16	攵	P.21
昔	セキ★ シャク☆ むかし	8	日	P.27
全	ゼン まった(く) すべ(て)	6	入	P.21
相	ソウ ショウ☆ あい	9	目	P.15
送	ソウ おく(る)	9	辶	P.27
想	ソウ ソ★	13	心	P.15
息	ソク いき	10	心	P.33
速	ソク はや(い) はや(める) はや(まる) すみ(やか)☆	10	辶	P.33
族	ゾク	11	方	P.21
他	タ ほか	5	亻	P.45
打	ダ う(つ)	5	扌	P.27
対	タイ ツイ☆	7	寸	P.9
待	タイ ま(つ)	9	彳	P.21
代	ダイ・タイ か(わる) か(える) よ・しろ☆	5	亻	P.33
第	ダイ	11	⺮	P.45
題	ダイ	18	頁	P.39
炭	タン すみ	9	火	P.39
短	タン みじか(い)	12	矢	P.15
談	ダン	15	言	P.33
着	チャク ジャク★ き(る)・き(せる) つ(く) つ(ける)	12	羊	P.21
注	チュウ そそ(ぐ)	8	氵	P.27
柱	チュウ はしら	9	木	P.33
丁	チョウ テイ☆	2	一	P.39
帳	チョウ	11	巾	P.39
調	チョウ しら(べる) ととの(う)☆ ととの(える)☆	15	言	P.9
追	ツイ お(う)	9	辶	P.33
定	テイ ジョウ さだ(める) さだ(まる) さだ(か)★	8	宀	P.33
庭	テイ にわ	10	广	P.9

漢字	読み	画数	部首	ページ
笛	テキ ふえ	11	⺮	P.27
鉄	テツ	13	釒	P.9
転	テン ころ(がる) ころ(げる) ころ(がす) ころ(ぶ)	11	車	P.9
都	ト ツ みやこ	11	阝	P.45
度	ド ト★ タク☆ たび☆	9	广	P.45
投	トウ な(げる)	7	扌	P.45
豆	トウ ズ まめ	7	豆	P.45
島	トウ しま	10	山	P.21
湯	トウ ゆ	12	氵	P.21
登	トウ ト のぼ(る)	12	癶	P.27
等	トウ ひと(しい)	12	⺮	P.45
動	ドウ うご(く) うご(かす)	11	力	P.39
童	ドウ わらべ☆	12	立	P.39
農	ノウ	13	辰	P.27
波	ハ なみ	8	氵	P.21
配	ハイ くば(る)	10	酉	P.39
倍	バイ	10	亻	P.39
箱	はこ	15	⺮	P.9
畑	はた はたけ	9	田	P.27
発	ハツ ホツ☆	9	癶	P.9
反	ハン ホン★ タン☆ そ(る) そ(らす)	4	又	P.9
坂	ハン★ さか	7	土	P.27
板	ハン バン いた	8	木	P.21
皮	ヒ かわ	5	皮	P.33
悲	ヒ かな(しい) かな(しむ)	12	心	P.45
美	ビ うつく(しい)	9	羊	P.9
鼻	ビ☆ はな	14	鼻	P.33
筆	ヒツ ふで	12	⺮	P.39
氷	ヒョウ こおり ひ★	5	水	P.27
表	ヒョウ おもて あらわ(す) あらわ(れる)	8	衣	P.45
秒	ビョウ	9	禾	P.39
病	ビョウ ヘイ★ や(む)☆ やまい	10	疒	P.39
品	ヒン しな	9	口	P.21
負	フ ま(ける) ま(かす) お(う)	9	貝	P.27
部	ブ	11	阝	P.45
服	フク	8	月	P.27
福	フク	13	礻	P.45
物	ブツ モツ もの	8	牜	P.27
平	ヘイ ビョウ たい(ら) ひら	5	干	P.45
返	ヘン かえ(す) かえ(る)	7	辶	P.27
勉	ベン	10	力	P.33
放	ホウ はな(す) はな(つ) はな(れる) ほう(る)	8	攵	P.33
味	ミ あじ あじ(わう)	8	口	P.15
命	メイ ミョウ☆ いのち	8	口	P.45
面	メン おも☆ おもて☆ つら★	9	面	P.9
問	モン と(う) と(い) とん	11	口	P.39
役	ヤク エキ☆	7	彳	P.39
薬	ヤク くすり	16	艹	P.39
由	ユ ユウ ユイ★ よし★	5	田	P.33
油	ユ あぶら	8	氵	P.27
有	ユウ ウ☆ あ(る)	6	月	P.39
遊	ユウ ユ★ あそ(ぶ)	12	辶	P.15
予	ヨ	4	亅	P.9
羊	ヨウ ひつじ	6	羊	P.27
洋	ヨウ	9	氵	P.45
葉	ヨウ は	12	艹	P.15
陽	ヨウ	12	阝	P.15
様	ヨウ さま	14	木	P.15
落	ラク お(ちる) お(とす)	12	艹	P.33
流	リュウ ル★ なが(れる) なが(す)	10	氵	P.9
旅	リョ たび	10	方	P.9
両	リョウ	6	一	P.9
緑	リョク ロク★ みどり	14	糸	P.21
礼	レイ ライ★	5	礻	P.33
列	レツ	6	刂	P.9
練	レン ね(る)	14	糸	P.15
路	ロ じ	13	⻊	P.15
和	ワ・オ★ やわ(らぐ)☆ やわ(らげる)☆ なご(む)☆ なご(やか)☆	8	口	P.45

7級配当漢字表（50音順）

50音順《じゅん》の7級の配当漢字表です。「ページ」のらんは本文での掲載《けいさい》ページです。☆は中学校で、★は高校で習う読みです。

漢字	読み	画数	部首	ページ
愛	アイ	13	心	P.74
案	アン	10	木	P.98
以	イ	5	人	P.110
衣	イ ころも☆	6	衣	P.104
位	イ くらい	7	亻	P.92
茨	いばら	9	艹	P.74
印	イン しるし	6	卩	P.92
英	エイ	8	艹	P.110
栄	エイ さか(える) は(え)★ は(える)★	9	木	P.80
媛	エン☆	12	女	P.74
塩	エン しお	13	土	P.86
岡	おか	8	山	P.74
億	オク	15	亻	P.110
加	カ くわ(える) くわ(わる)	5	力	P.104
果	カ は(たす) は(てる) は(て)	8	木	P.98
貨	カ	11	貝	P.104
課	カ	15	言	P.98
芽	ガ め	8	艹	P.74
賀	ガ	12	貝	P.74
改	カイ あらた(める) あらた(まる)	7	攵	P.98
械	カイ	11	木	P.104
害	ガイ	10	宀	P.104
街	ガイ カイ☆ まち	12	行	P.74
各	カク おのおの★	6	口	P.110
覚	カク おぼ(える) さ(ます) さ(める)	12	見	P.80
潟	かた	15	氵	P.80
完	カン	7	宀	P.110
官	カン	8	宀	P.110
管	カン くだ	14	⺮	P.98
関	カン せき かか(わる)	14	門	P.98
観	カン	18	見	P.98
願	ガン ねが(う)	19	頁	P.80
岐	キ☆	7	山	P.74
希	キ	7	巾	P.110
季	キ	8	子	P.104
旗	キ はた	14	方	P.86
器	キ うつわ☆	15	口	P.98
機	キ はた☆	16	木	P.110
議	ギ	20	言	P.92
求	キュウ もと(める)	7	水	P.110
泣	キュウ☆ な(く)	8	氵	P.86
給	キュウ	12	糸	P.110
挙	キョ あ(げる) あ(がる)	10	手	P.104
漁	ギョ リョウ	14	氵	P.104
共	キョウ とも	6	八	P.104
協	キョウ	8	十	P.98
鏡	キョウ かがみ	19	金	P.86
競	キョウ ケイ きそ(う)☆ せ(る)★	20	立	P.74
極	キョク ゴク☆ きわ(める)☆ きわ(まる)☆ きわ(み)☆	12	木	P.92
熊	くま	14	灬	P.80
訓	クン	10	言	P.98
軍	グン	9	車	P.110
郡	グン	10	阝	P.110
群	グン む(れる) む(れ) むら	13	羊	P.74
径	ケイ	8	彳	P.98
景	ケイ	12	日	P.92
芸	ゲイ	7	艹	P.92
欠	ケツ か(ける) か(く)	4	欠	P.104
結	ケツ むす(ぶ) ゆ(う)☆ ゆ(わえる)☆	12	糸	P.92
建	ケン コン★ た(てる) た(つ)	9	廴	P.92

漢字	健	験	固	功	好	香	候	康	佐	差	菜	最
読み	ケン すこ(やか)☆	ケン ゲン★	コ かた(める) かた(まる) かた(い)	コウ ク★	コウ この(む) す(く)	コウ☆ キョウ★ か かお(り) かお(る)	コウ そうろう★	コウ	サ	サ さ(す)	サイ な	サイ もっと(も)
画数	11	18	8	5	6	9	10	11	7	10	11	12
部首	亻	馬	口	力	女	香	亻	广	亻	工	艹	日
ページ	P.98	P.99	P.99	P.104	P.92	P.80	P.111	P.92	P.86	P.99	P.92	P.99

漢字	埼	材	崎	昨	札	刷	察	参	産	散	残	氏
読み	さい	ザイ	さき	サク	サツ ふだ	サツ す(る)	サツ	サン まい(る)	サン う(む) う(まれる) うぶ★	サン ち(る) ち(らす) ち(らかす) ち(らかる)	ザン のこ(る) のこ(す)	シ うじ☆
画数	11	7	11	9	5	8	14	8	11	12	10	4
部首	土	木	山	日	木	刂	宀	厶	生	攵	歹	氏
ページ	P.86	P.92	P.86	P.86	P.93	P.86	P.99	P.93	P.104	P.105	P.80	P.111

漢字	司	試	児	治	滋	辞	鹿	失	借	種	周	祝
読み	シ	シ こころ(みる) ため(す)☆	ジ ニ☆	ジ・チ おさ(める) おさ(まる) なお(る) なお(す)	ジ☆	ジ や(める)☆	しか か	シツ うしな(う)	シャク か(りる)	シュ たね	シュウ まわ(り)	シュク シュウ★ いわ(う)
画数	5	13	7	8	12	13	11	5	10	14	8	9
部首	口	言	儿	氵	氵	辛	鹿	大	亻	禾	口	礻
ページ	P.111	P.111	P.105	P.93	P.74	P.93	P.74	P.105	P.80	P.86	P.93	P.80

漢字	順	初	松	笑	唱	焼	照	城	縄	臣	信	井
読み	ジュン	ショ・はじ(め) はじ(めて) はつ うい★ そ(める)☆	ショウ まつ	ショウ☆ わら(う) え(む)☆	ショウ とな(える)	ショウ☆ や(く) や(ける)	ショウ て(る) て(らす) て(れる)	ジョウ しろ	ジョウ☆ なわ	シン ジン	シン	セイ★ ショウ☆ い
画数	12	7	8	10	11	12	13	9	15	7	9	4
部首	頁	刀	木	⺮	口	火	灬	土	糸	臣	亻	二
ページ	P.111	P.93	P.86	P.80	P.80	P.75	P.75	P.75	P.80	P.105	P.105	P.81

漢字	成	省	清	静	席	積	折	節	説	浅	戦	選
読み	セイ ジョウ★ な(る) な(す)	セイ ショウ かえり(みる)☆ はぶ(く)	セイ ショウ★ きよ(い) きよ(まる) きよ(める)	セイ ジョウ☆ しず・しず(か) しず(まる) しず(める)	セキ	セキ つ(む) つ(もる)	セツ お(る) おり お(れる)	セツ セチ★ ふし	セツ ゼイ★ と(く)	セン☆ あさ(い)	セン いくさ☆ たたか(う)	セン えら(ぶ)
画数	6	9	11	14	10	16	7	13	14	9	13	15
部首	戈	目	氵	青	巾	禾	扌	⺮	言	氵	戈	辶
ページ	P.111	P.105	P.105	P.75	P.86	P.81	P.75	P.93	P.93	P.87	P.111	P.87

漢字	然	争	倉	巣	束	側	続	卒	孫	帯	隊	達
読み	ゼン ネン	ソウ あらそ(う)	ソウ くら	ソウ★ す	ソク たば	ソク がわ	ゾク つづ(く) つづ(ける)	ソツ	ソン まご	タイ お(びる) おび	タイ	タツ
画数	12	6	10	11	7	11	13	8	10	10	12	12
部首	灬	亅	人	⺍	木	亻	糸	十	子	巾	阝	辶
ページ	P.81	P.99	P.99	P.81	P.75	P.99	P.81	P.87	P.93	P.87	P.105	P.111

漢字	読み	画数	部首	ページ
単	タン	9	⺍	P.111
置	チ お(く)	13	罒	P.81
仲	チュウ☆ なか	6	亻	P.75
沖	チュウ★ おき	7	氵	P.81
兆	チョウ きざ(す)★ きざ(し)★	6	儿	P.111
低	テイ ひく(い) ひく(める) ひく(まる)	7	亻	P.105
底	テイ そこ	8	广	P.87
的	テキ まと	8	白	P.81
典	テン	8	八	P.81
伝	デン つた(わる) つた(える) つた(う)	6	亻	P.87
徒	ト	10	彳	P.99
努	ド つと(める)	7	力	P.93
灯	トウ ひ★	6	火	P.87
働	ドウ はたら(く)	13	亻	P.99
特	トク	10	牛	P.93
徳	トク	14	彳	P.81
栃	とち	9	木	P.87
奈	ナ	8	大	P.75
梨	なし	11	木	P.81
熱	ネツ あつ(い)	15	灬	P.75
念	ネン	8	心	P.81
敗	ハイ やぶ(れる)	11	攵	P.105
梅	バイ うめ	10	木	P.87
博	ハク バク★	12	十	P.87
阪	ハン☆	7	阝	P.75
飯	ハン めし	12	飠	P.93
飛	ヒ と(ぶ) と(ばす)	9	飛	P.75
必	ヒツ かなら(ず)	5	心	P.87
票	ヒョウ	11	示	P.105
標	ヒョウ	15	木	P.99
不	フ ブ	4	一	P.99
夫	フ フウ☆ おっと	4	大	P.111
付	フ つ(ける) つ(く)	5	亻	P.105
府	フ	8	广	P.111
阜	フ	8	阜	P.75
富	フ フウ★ と(む) とみ	12	宀	P.75
副	フク	11	刂	P.105
兵	ヘイ ヒョウ	7	八	P.111
別	ベツ わか(れる)	7	刂	P.99
辺	ヘン あた(り) べ	5	辶	P.93
変	ヘン か(わる) か(える)	9	夂	P.81
便	ベン ビン たよ(り)	9	亻	P.87
包	ホウ つつ(む)	5	勹	P.87
法	ホウ ハッ★ ホッ★	8	氵	P.111
望	ボウ モウ☆ のぞ(む)	11	月	P.93
牧	ボク まき☆	8	牛	P.87
末	マツ バツ★ すえ	5	木	P.87
満	マン み(ちる) み(たす)	12	氵	P.87
未	ミ	5	木	P.105
民	ミン たみ☆	5	氏	P.93
無	ム ブ な(い)	12	灬	P.99
約	ヤク	9	糸	P.93
勇	ユウ いさ(む)	9	力	P.99
要	ヨウ かなめ い(る)☆	9	襾	P.105
養	ヨウ やしな(う)	15	食	P.99
浴	ヨク あ(びる) あ(びせる)	10	氵	P.93
利	リ き(く)★	7	刂	P.81
陸	リク	11	阝	P.87
良	リョウ よ(い)	7	艮	P.111
料	リョウ	10	斗	P.105
量	リョウ はか(る)	12	里	P.105
輪	リン わ	15	車	P.81
類	ルイ たぐ(い)	18	頁	P.93
令	レイ	5	人	P.111
冷	レイ つめ(たい) ひ(える) ひ(や) ひ(やす) ひ(やかす) さ(める) さ(ます)	7	冫	P.81
例	レイ たと(える)	8	亻	P.111
連	レン つら(なる) つら(ねる) つ(れる)	10	辶	P.105
老	ロウ お(いる) ふ(ける)★	6	耂	P.99
労	ロウ	7	力	P.99
録	ロク	16	釒	P.87

■お問い合わせについて

- 本書の内容に関するお問い合わせは、**書名・発行年月日を必ず明記**のうえ、文書・ＦＡＸ・メールにて下記にご連絡ください。電話によるお問い合わせは、受け付けておりません。
- 本書の内容を超える質問にはお答えできませんので、あらかじめご了承ください。

本書の正誤情報などについてはこちらからご確認ください。

(https://www.shin-sei.co.jp/np/seigo.html)

- お問い合わせいただく前に上記アドレスのページにて、すでに掲載されている内容かどうかをご確認ください。
- 本書に関する質問受付は、2026年２月末までとさせていただきます。

●文　書：〒110-0016 東京都台東区台東2-24-10 (株)新星出版社 読者質問係
●ＦＡＸ：03-3831-0902
●メール：https://www.shin-sei.co.jp/np/contact.html

■協会のお問い合わせ窓口

最新の情報は**公益財団法人日本漢字能力検定協会**にご確認ください。

●電話でのお問い合わせ：0120-509-315（無料）
●HPアドレス　：https://www.kanken.or.jp/kanken/contact/

頻出度順 漢字検定７・８級 合格！ 問題集

2024年２月25日　初版発行

編　者　受験研究会
発行者　富永靖弘
印刷所　今家印刷株式会社

発行所　東京都台東区台東２丁目24　株式会社 新星出版社
〒110-0016　☎03(3831)0743

別冊《べっさつ》

2024年度版

頻出度順

漢字検定7・8級 合格! 問題集

この別冊は本冊から取り外して使用することができます

※本試験では、8級は問題と答えを書くらんが同じ紙に印刷されていますが、7級は問題用紙と答案用紙は別です。７級の答案用紙のサンプルは、本冊152ページにあります。本試験を受検する前に必ず確認しておきましょう。

新星出版社

第1回 8級 もぎ試験問題

試験時間 40分

合格ライン 120点

得点 /150 月 日

1 つぎの――線の**漢字**の**読みがな**を書きなさい。

/30 (1×30)

1 かぜで鼻がつまっている。（ ）

2 むし暑い日がつづく。（ ）

3 ポットで湯をわかす。（ ）

4 文の主語をさがす。（ ）

5 坂道を走って息が上がった。（ ）

6 校しゃの二階に音楽室がある。（ ）

7 お化けやしきに入ってみた。（ ）

8 自転車のペダルが軽い。（ ）

9 新しいシャツを着て出かける。（ ）

22 島が橋でつながっている。（ ）

23 絵画を見て心を打たれた。（ ）

24 通学路のとちゅうに川がある。（ ）

25 グリム童話の本を読む。（ ）

26 くつを左右反対におく。（ ）

27 ベッドに横になる。（ ）

28 お祭りの出店でおもちゃを買った。（ ）

29 空港からひこうきが出ていく。（ ）

30 しばらく様子を見る。（ ）

10 都会にもいなかにもよさがある。（　　）

11 学校のきまりを守る。（　　）

12 地面に花がさいていた。（　　）

13 詩にメロディーをつける。（　　）

14 赤とんぼを追いかけた。（　　）

15 ブドウをガラスの皿にもる。（　　）

16 姉は大学で生物の研究をしている。（　　）

17 子羊が大きな声でないた。（　　）

18 大切なものを箱にしまっておく。（　　）

19 深いプールでも足がとどく。（　　）

20 三けたの数のかけ算を筆算でする。（　　）

21 本のかし出し期間をたしかめる。（　　）

2

つぎの**漢字**の**太いところ**は、**何番め**に書きますか。○の中に**数字**を書きなさい。

□／10（1×10）

1 業 ……（　）

2 命 ……（　）

3 委 ……（　）

4 君 ……（　）

5 福 ……（　）

6 第 ……（　）

7 族 ……（　）

8 県 ……（　）

9 幸 ……（　）

10 童 ……（　）

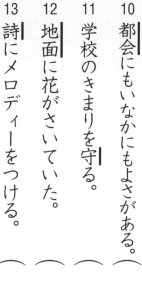

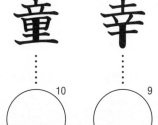

3 （　）の中に**漢字**を書いて、上と**はんたいのいみのことば**にしなさい。

／10（2×5）

1 心配 ― （　）《あん》心

2 長い ― （　）《みじか》い

3 かた方 ― （　）《りょう》方

4 生まれる ― （　）《し》ぬ

5 もやす ― （　）《け》す

5 つぎの（　）の中に**漢字**を書きなさい。

／20（2×10）

九 1（　）《しゅう》のおじの家に行く。

2（　）《しゅう》字のお手本をじゅんびする。

病 3（　）《いん》でけがを手当てしてもらう。

全 4（　）《いん》で入学式の写真を見る。

5（　）《ゆう》名な絵画を見に行く。

空を自 6（　）《ゆう》にとべる羽がほしい。

7（　）《きゅう》な知らせにおどろく。

月は地 8（　）《きゅう》のまわりを回っている。

はがきに 9（　）《じゅう》所を書く。

毎日の体 10（　）《じゅう》を記ろくする。

4 **おなじなかまの漢字**を□の中に書きなさい。

/20 (2×10)

こころ（心）… 1 □《かな》しむ・2 □《かん》想

しんにょう しんにゅう（辶）… 3 □《すす》む・4 □《はこ》ぶ

はつがしら（癶）… 山 5 □《のぼ》り・出 6 □《ぱつ》

ちから（力）… 7 □《たす》ける・8 □《べん》強

うかんむり（宀）… お 9 □《みや》・見物 10 □《きゃく》

6 つぎの——線の**カタカナ**を○の中の**漢字**と**おくりがな（ひらがな）**で□の中に書きなさい。

/10 (2×5)

〈れい〉㊀大 **オオキイ**花がさく。 大きい

1 (温) **アタタカイ**ごはんを食べる。 1 □

2 (美) **ウツクシイ**花にはトゲがある。 2 □

3 (開) 本を**ヒライテ**先生を待つ。 3 □

4 (流) **ナガレル**川に手をひたす。 4 □

5 (味) しぼりたてのジュースを**アジワウ**。 5 □

7

つぎの——線の**漢字**の**読みがな**を——線の**右**に書きなさい。

/10 (1×10)

1 指定された日に待ち合わせる。

2 指にトゲがささる。

3 夏休みに旅行をするつもりだ。

4 旅の思い出におみやげを買う。

5 列を整えてろう下にならぶ。

6 ロッカーの中を整理する。

7 きず口に血がにじむ。

8 出血したところをおさえる。

---

3 5□《うん》動する内ようを黒6□《ばん》にメモする。

4 スーパーがお7□《きゃく》さんの8□《い》見を集めている。

5 体9□《いく》の時間に、なわとびの10□《れん》習をした。

6 工11□《じ》をしている場所を12□《しら》べる。

車に乗って出かける。（9：乗）

10 乗車けんを買って列にならぶ。（10：乗車）

8

つぎの□の中に**漢字**を書きなさい。

／40
(2×20)

1 [1]□《むかし》の人がどんな道[2]□《ぐ》を使っていたのか教わる。

2 ろう下に[3]□《お》ちていたハンカチを[4]□《ひろ》った。

7 [13]□《しゅく》題をすませてから、みんなで近くの公園で[14]□《あそ》んだ。

8 太[15]□《よう》の光が当たって[16]□《みずうみ》の水面がかがやいていた。

9 歯[17]□《い》[18]□《しゃ》さんに虫歯のぐあいをみてもらう。

10 [19]□《にわ》でかき[20]□《ごおり》を作って食べた。

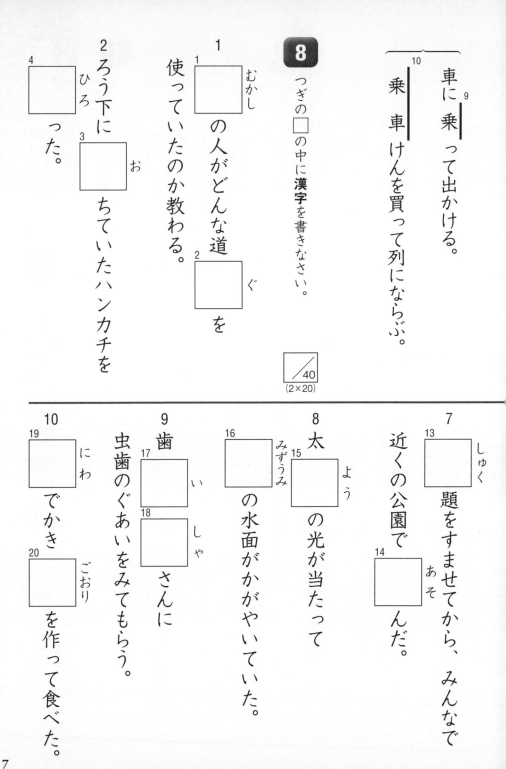

第2回 8級 もぎ試験問題

試験時間 40分
合格ライン 120点
得点 /150 月 日

1 つぎの──線の漢字の読みがなを書きなさい。

/30 (1×30)

1 矢がまとに命中する。（　　）
2 ボールを投げる練習をする。（　　）
3 川にかかる橋をわたる。（　　）
4 頭がいたいので薬を飲んだ。（　　）
5 雨にぬれた花が美しい。（　　）
6 妹のお宮まいりについていく。（　　）
7 先生が指さした先を見る。（　　）
8 リンゴの皮をきれいにむく。（　　）
9 さくらの花がさく時期になった。（　　）

22 先生が学級だよりを配った。（　　）
23 湖のそばをさん歩する。（　　）
24 落とし物をとどける。（　　）
25 白い波が打ちよせる。（　　）
26 思い出を文章にまとめる。（　　）
27 予想よりもかんたんなテストだった。（　　）
28 銀メダルを首にかける。（　　）
29 キャベツを畑で育てる。（　　）
30 コンパスを使って円をかく。（　　）

10 県道にそってお店が立ちならぶ。（　　）
11 サッカー教室に申しこみをする。（　　）
12 自分の意見を発表する。（　　）
13 おみやげをもらってお礼を言う。（　　）
14 北国の寒さはきびしい。（　　）
15 コップに氷を入れる。（　　）
16 車庫に車を入れる。（　　）
17 雲の間から太陽が顔を出す。（　　）
18 口笛をふきながら歩く。（　　）
19 けいじ板に学校だよりをはる。（　　）
20 知り合いの農家に野菜《さい》をもらう。（　　）
21 町の中央に市役所がある。（　　）

2 つぎの**漢字**の**太いところ**は、**何番め**に書きますか。○の中に**数字**を書きなさい。

1 鼻……○
2 薬……○
3 宿……○
4 悪……○
5 勝……○
6 旅……○
7 漢……○
8 軽……○
9 島……○
10 炭……○

／10（1×10）

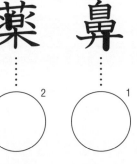

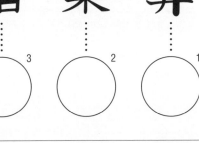

3 （　）の中に**漢字**を書いて、上と**はんたいのいみのことば**にしなさい。

/10 (2×5)

勝ち―1（　）《ま》け

はじめ―2（　）《お》わり

来年―3（　）《きょ》年

たおれる―4（　）《お》きる

うれしい―5（　）《かな》しい

---

5 つぎの（　）の中に**漢字**を書きなさい。

/20 (2×10)

1（　）《い》員会の話し合いに集まる。

2（　）《い》者になることはむずかしい。

クラスの集合写3（　）《しん》をとる。

音楽を合図に前4（　）《しん》する。

一5（　）《ちょう》のとうふを半分に切った。

来月の予定を手6（　）《ちょう》に書く。

家の前で工7（　）《じ》をしている。

8（　）《じ》回の大会ではトップを目指す。

友だちになやみを9（　）《そう》談する。

お昼の校内放10（　）《そう》を聞く。

4

おなじなかまの漢字を□の中に書きなさい。

／20（2×10）

さんずい（氵）… 1 □《ちゅう》意・水 2 □《えい》

かばね・しかばね（尸）… 小 3 □《や》・薬 4 □《きょく》

きへん（木）… 電 5 □《ちゅう》・6 □《よこ》顔

にんべん（亻）… 時 7 □《だい》・二 8 □《ばい》

くさかんむり（艹）… 9 □《にが》い・10 □《に》物

6

つぎの――線の**カタカナ**を○の中の**漢字**と**おくりがな（ひらがな）**で□の中に書きなさい。

／10（2×5）

〈れい〉㊀大 **オオキイ**花がさく。　［大きい］

1 ㊀返 かりた本を友だちに**カエス**。　1 □

2 ㊀化 きつねが人に**バケル**話を聞いた。　2 □

3 ㊀整 くしでかみがたを**トトノエル**。　3 □

4 ㊀等 **ヒトシイ**長さの線を引く。　4 □

5 ㊀重 ざぶとんを何まいも**カサネル**。　5 □

7 つぎの━━線の**漢字**の**読みがな**を━━線の**右**に書きなさい。

／10
(1×10)

1. テストで漢字の実力をためす。
2. 小動物が木の実をかじる。
3. 姉はクラスで一番足が速い。
4. バスがカーブで速度をおとす。
5. 橋がようやくできあがる。
6. 歩道橋をのぼって道路をわたる。
7. 空港で友だちを出むかえる。
8. 外国からの船が港にやってくる。

---

3 お金をためて自 5 □《てん》 車を買い、世 6 □《かい》 中を旅したい。

4 図書 7 □《かん》 の記 8 □《ごう》 を地図から見つける。

5 家の 9 □《はたけ》 に新しく 10 □《おん》 室をつくる。

6 世界の 11 □《ゆう》 名な人物について 12 □《べん》 強する。

ダンスの練習を ⁹根気 よくつづける。

木の ¹⁰根 もとにきのこが生えていた。

8

つぎの□の中に**漢字**を書きなさい。

／40
(2×20)

1 1□《えき》のそばにある2□《しょう》店がいには活気がある。

2 3□《みどり》色だった4□《は》がだんだん色づいてくる。

7 大きな13□《さら》を両手で14□《も》つ。

8 正15□《めん》に見えるお寺に16□《む》かって手を合わせた。

9 親せきは17□《じん》社の近くに18□《す》んでいる。

10 川19□《ぎし》のスーパーで調20□《み》りょうを買う。

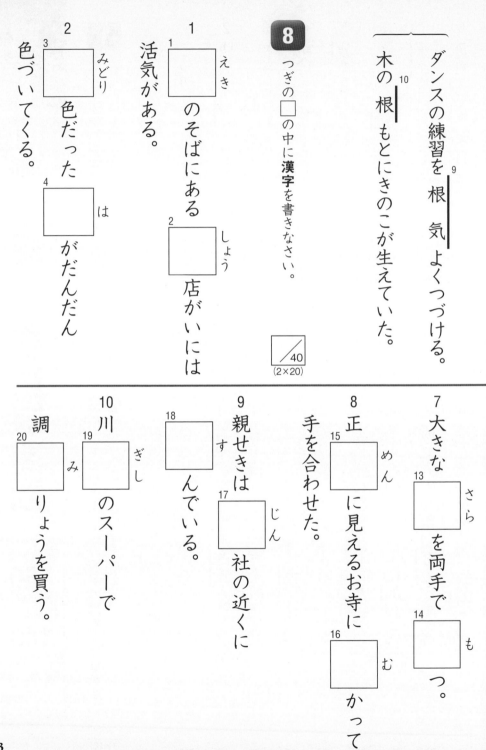

第1回 7級 もぎ試験問題

試験時間 60分
合格ライン 140点
得点 /200
月 日

1

次の――線の**漢字の読み**を**ひらがな**で答えのらんに書きなさい。

/20 (1×20)

1 この辺りは米作りがさかんだ。
2 ゆたかな自然をみんなで大切にする。
3 相手に伝わるように話す。
4 試合で敗れてくやしい思いをした。
5 旗をふっておうえんする。
6 くもった鏡をみがく。
7 軍手をはめて草取りをする。
8 毎日欠かさず日記をつけた。

2

次の各組の――線の**漢字の読み**を**ひらがな**で答えのらんに書きなさい。

/10 (1×10)

1 相手チームと火花を散らして戦う。
2 ひとりで散歩に行く。
3 電車のダイヤが改正される。
4 らんぼうなたい度を改める。
5 ブロックを地面に固定する。
6 のりのふたが固まる。
7 かまぼこは魚を加工した食べ物だ。
8 チームのメンバーに加わる。
9 研究者の長年の努力が実る。
10 勉強をして学力の向上に努める。

9 家を建てかえる。（　　）
10 草野球の大会で決勝に残った。（　　）
11 言葉の意味を辞典で調べる。（　　）
12 花束をプレゼントする。（　　）
13 地球は太陽の周りを回っている。（　　）
14 悪天候のため遠足が来週にのびた。（　　）
15 野鳥が今年も山に飛んできた。（　　）
16 静かな部屋で読書する。（　　）
17 駅前で友だちと別れた。（　　）
18 葉の色が赤く変わり始めた。（　　）
19 予びのかさを学校に置いておく。（　　）
20 遠くの親類より近くの他人（　　）

3 次の――線の**カタカナ**に合う**漢字**をえらんで答えのらんに**記号**で書きなさい。

／20（2×10）

1 美しい風**ケイ**を守る。（ア 形　イ 景　ウ 係）（　　）
2 家に帰って休**ヨウ**する。（ア 養　イ 様　ウ 洋）（　　）
3 試験**カン**をあらう。（ア 感　イ 管　ウ 館）（　　）
4 かん光客を**アン**内する。（ア 安　イ 暗　ウ 案）（　　）
5 **ソウ**庫の中をかたづける。（ア 倉　イ 争　ウ 相）（　　）
6 目**ヒョウ**を立てる。（ア 標　イ 票　ウ 表）（　　）
7 電話が**フ**通になった。（ア 負　イ 付　ウ 不）（　　）
8 絵を**セイ**書する。（ア 整　イ 晴　ウ 清）（　　）
9 **イ**前の自分とはちがう。（ア 意　イ 井　ウ 以）（　　）
10 リーダーの号**レイ**で動く。（ア 例　イ 令　ウ 礼）（　　）

4 次の上の漢字の**太い画**のところは**筆順の何画目**か、下の漢字の**総**《そう》**画数は何画**か、**算用数字**（1、2、3…）で答えなさい。

〈例〉正 3　字 6

1 兆 □　2 軍 □　3 械 □　4 節 □　5 察 □

6 印 □　7 岡 □　8 博 □　9 牧 □　10 兵 □

/10 (1×10)

5 次の漢字の読みは、**音読み**（**ア**）ですか、**訓読み**（**イ**）ですか。**記号**で答えなさい。

〈例〉力《ちから》 → イ

1 梅《うめ》 □

5 塩《えん》 □

9 帯《おび》 □

/20 (2×10)

7 次の――線の**カタカナ**を○**の中の漢字と送りがな**（**ひらがな**）で答えのらんに書きなさい。

〈例〉㊣ **タダシイ**字を書く。（正しい）

1 ㊥治 病気が**ナオル**。（　）

2 ㊥参 正月に神社に**マイル**。（　）

3 ㊥争 運動会でゆう勝を**アラソウ**。（　）

4 ㊥熱 **アツイ**お風ろに入る。（　）

5 ㊥祝 母のたん生日を**イワウ**。（　）

6 ㊥挙 教室で元気に手を**アゲル**。（　）

7 ㊥働 父の**ハタラク**会社は駅前にある。（　）

/14 (2×7)

2 兵《へい》 □

3 芽《め》 □

4 巣《す》 □

6 松《まつ》 □

7 末《すえ》 □

8 菜《な》 □

10 街《まち》 □

6

後の□の中のひらがなを漢字になおして、意味が反対や対になることば(対義語《ついぎご》)を書きなさい。□の中のひらがなは**一度だけ**使い、答えのらんに**漢字一字**を書きなさい。

/10 (2×5)

〈例〉室内 ― 室外

主食 ― 1食 （　）

海洋 ― 大2 （　）

先生 ― 生3 （　）

有名 ― 4名 （　）

起立 ― 着5 （　）

せき・と・ふく・む・りく

8

次の**部首のなかまの漢字**で□にあてはまる**漢字一字**を、答えのらんに書きなさい。

/20 (2×10)

〈例〉亻(にんべん) 体《たい》力・工作《さく》

ア 木(きへん)

名1《ふだ》・木2《ざい》・北3《きょく》星

イ 宀(うかんむり)

外交4《かん》・5《かん》全・有6《がい》

ウ 氵(さんずい)

7《ぎょ》船・8《あさ》い・入9《よく》

方10《ほう》

9 次の――線の**カタカナ**を**漢字**になおして答えのらんに書きなさい。

/16 (2×8)

1 デパートで春物の**イ**服を買う。（　　）

2 コンクールの順**イ**が発表される。（　　）

3 食**キ**にサラダをもりつける。（　　）

4 公園に四**キ**折々の花がさく。（　　）

5 ロボットの動きを改**リョウ**する。（　　）

6 テレビの音**リョウ**を上げる。（　　）

7 けい察**カン**に道をたずねる。（　　）

8 カメの動きを**カン**察する。（　　）

五、信

ア主	イ通	ウ沖	エ輪	オ号

9 信

信 10

9（　　）

10（　　）

11 次の――線の**カタカナ**を**漢字**になおして答えのらんに書きなさい。

/40 (2×20)

1 ごみをへらす工夫が**ヒツ**要だ。（　　）

2 友だちに本を**カ**りた。（　　）

3 早ね早起きを**ツヅ**ける。（　　）

4 **ツメ**たいお茶でのどをうるおす。（　　）

5 花だんに**タネ**をまく。（　　）

6 **エイ**語は世界で広く使われている。（　　）

7 植物園には大**リン**の花がさいていた。（　　）

8 算数で**オク**や兆の大きな数を習う。（　　）

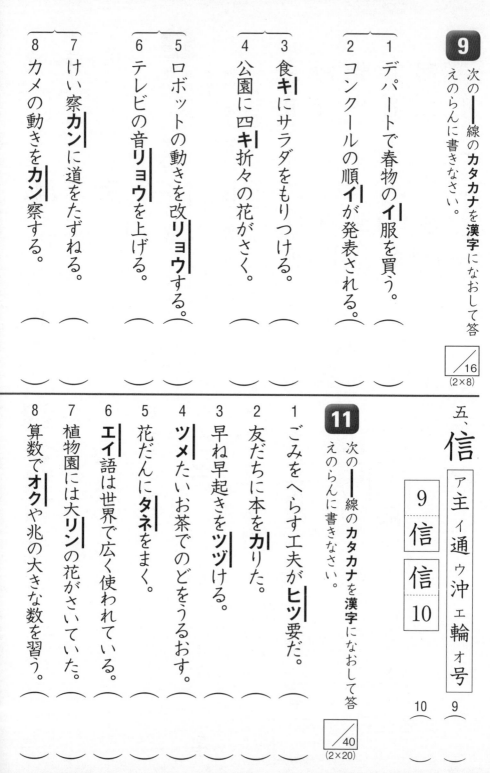

10

上の漢字と下の□の中の漢字を組み合わせて**二字のじゅく語を二つ作り、**答えのらんに**記号**で書きなさい。

/20 (2×10)

〈例〉 校 [ア門 イ学 ウ海 エ体 オ読] イ校 校ア

一、民 [ア身 イ折 ウ住 エ番 オ話] 1民 民2

二、失 [ア消 イ候 ウ児 エ敗 オ城] 3失 失4

三、順 [ア路 イ不 ウ富 エ賀 オ労] 5順 順6

四、愛 [ア消 イ係 ウ犬 エ都 オ博] 7愛 愛8

1（　）2（　）3（　）4（　）5（　）6（　）7（　）8（　）

9 ちりも**ツ**もれば山となる

10 新しい漢字を**オボ**える。

11 学**ゲイ**会でダンスをおどる。

12 楽しい話を聞いて大**ワラ**いした。

13 自分の考えを**セツ**明する

14 **イサ**ましい声が聞こえる。

15 次の試合の作**セン**を考える。

16 友だちと**ナカ**良く遊ぶ。

17 学級会の**シ**会をまかされた。

18 金魚ばちの**ソコ**に石をしく。

19 世界の人々が平和を**ネガ**う。

20 **ナ**く子は育つ

第2回 7級 もぎ試験問題

試験時間 60分
合格ライン 140点
得点 /200
月　日

1 次の――線の**漢字の読み**を**ひらがな**で答えのらんに書きなさい。

/20 (1×20)

1 先生の質《しつ》問に手を挙げて答える。（　）
2 工事が順調に進む。（　）
3 かんきょうについて改めて考える。（　）
4 しょく員室でプリントを印刷する。（　）
5 雨が一日中ふり続く。（　）
6 世界で最も長い川を調べる。（　）
7 新しいやり方を試みる。（　）
8 各地でマラソンが行われる。（　）

2 次の各組の――線の**漢字の読み**を**ひらがな**で答えのらんに書きなさい。

/10 (1×10)

1 詩を暗唱する。（　）
2 声高くばんざいを唱える。（　）
3 ダンスの初級のクラスに通う。（　）
4 水族館で初めてペンギンを見た。（　）
5 次の道路で左折する。（　）
6 配られた紙を折りたたむ。（　）
7 連休にゆっくり休む。（　）
8 なだらかな山が連なる。（　）
9 海水から塩を作る。（　）
10 暑い日には水と塩分をとる。（　）

9 作文を原こう用紙に清書する。（　　）
10 プールに太陽が照りつける。（　　）
11 学校でひなん訓練が行われる。（　　）
12 水の温まり方を調べる実験をした。（　　）
13 昼休みに縄とびをして遊んだ。（　　）
14 薬のおかげでいたみが治まった。（　　）
15 アサガオの芽が出る。（　　）
16 学校から家までは徒歩で六分だ。（　　）
17 モーターは電気の働きで動く。（　　）
18 旅の安全を願う。（　　）
19 外は案外寒くなかった。（　　）
20 少年老いやすく学成りがたし（　　）

3 次の——線の**カタカナ**に合う**漢字**をえらんで答えのらんに**記号**で書きなさい。

／20（2×10）

1 犬の世話が日**カ**だ。（ア 課　イ 化　ウ 下）（　　）
2 土**キ**が出土する。（ア 器　イ 機　ウ 期）（　　）
3 雨が多い**キ**節になった。（ア 季　イ 希　ウ 器）（　　）
4 書道に**カン**心を持つ。（ア 漢　イ 関　ウ 間）（　　）
5 車に**キュウ**油する。（ア 給　イ 求　ウ 宮）（　　）
6 兄を**シン**用する。（ア 深　イ 真　ウ 信）（　　）
7 分**リョウ**を守る。（ア 料　イ 量　ウ 両）（　　）
8 駅の**フ**近は人が多い。（ア 付　イ 負　ウ 歩）（　　）
9 **ホウ**丁をあらう。（ア 方　イ 包　ウ 放）（　　）
10 円の直**ケイ**をはかる。（ア 径　イ 景　ウ 軽）（　　）

4

次の上の漢字の**太い**画のところは**筆順の何画目**か、下の漢字の**総**《そう》**画数は何画**か、**算用数字**（1、2、3…）で答えなさい。

〈例〉正［3］ 字［6］

1 旗
2 郡
3 典
4 隊
5 底

6 孫
7 初
8 建
9 械
10 陸

／10（1×10）

5

次の漢字の読みは、**音読み**（**ア**）ですか、**訓読み**（**イ**）ですか。**記号**で答えなさい。

〈例〉力《ちから》→［イ］

1 側《がわ》
5 要《よう》
9 種《たね》

／20（2×10）

7

次の━━線の**カタカナ**を○**の中の漢字**と**送りがな**（**ひらがな**）で答えのらんに書きなさい。

〈例〉㊣ **タダシイ**字を書く。［正しい］

1 ㊒必 食前には**カナラズ**手をあらう。（　）
2 ㊒伝 メールで思いを**ツタエル**。（　）
3 ㊒望 家族の幸せを**ノゾム**。（　）
4 ㊒冷 水が**ツメタク**なってきた。（　）
5 ㊒覚 朝早くに目を**サマス**。（　）
6 ㊒借 姉の服を**カリル**。（　）
7 ㊒養 考える力を**ヤシナウ**。（　）

／14（2×7）

2 的《てき》 □

3 節《ふし》 □

4 飯《はん》 □

6 無《む》 □

7 街《まち》 □

8 栄《えい》 □

10 省《しょう》 □

6

後の□の中のひらがなを漢字になおして、意味が反対や対《つい》になることば（対義語《ぎ》）を書きなさい。□の中のひらがなは**一度だけ**使い、答えのらんに**漢字一字**を書きなさい。

/10 (2×5)

〈例〉室内 ― 室[外]

来年 ― [1]年（　　）

人工 ― 天[2]（　　）

期待 ― [3]望（　　）

平行 ― 交[4]（　　）

入学 ― [5]業（　　）

さ・さく・しつ・そつ・ねん

8

次の**部首のなかまの漢字**で□にあてはまる**漢字一字**を、答えのらんに書きなさい。

/20 (2×10)

〈例〉亻（にんべん） [体]《たい》力・工[作]《さく》

ア　亻（にんべん）
百[1]《おく》円・[2]《なか》間・[3]《べん》利

イ　艹（くさかんむり）
手[4]《げい》・野[5]《さい》・[6]《く》労

ウ　辶（しんにょう・しんにゅう）
[7]《せん》手・上[8]《たつ》・周[9]《へん》・[10]《つい》加

9 次の――線の**カタカナ**を**漢字**になおして答えのらんに書きなさい。

/16 (2×8)

1 **カ**物列車が通りすぎた。（　　）
2 朝のジョギングを日**カ**にしている。（　　）
3 目**ヒョウ**を立てて勉強をする。（　　）
4 学級委員が投**ヒョウ**で決まった。（　　）
5 社会科の**サン**考書を買う。（　　）
6 犬をつれて**サン**歩をする。（　　）
7 旅行先で天**コウ**にめぐまれる。（　　）
8 コロッケは父の**コウ**物だ。（　　）

五、灯

ア街　イ良　ウ台　エ氏　オ令

9
灯

灯
10

9（　　）
10（　　）

11 次の――線の**カタカナ**を**漢字**になおして答えのらんに書きなさい。

/40 (2×20)

1 屋根にツバメの**ス**ができた。（　　）
2 大きな**ハタ**をふっておうえんする。（　　）
3 今年は記**ロク**的な暑さだった。（　　）
4 学校にかさを**オ**きわすれた。（　　）
5 タ**ヤ**けで空が赤くそまる。（　　）
6 **ギョ**港の市場がにぎわう。（　　）
7 北**キョク**星が見える方角が北だ。（　　）
8 習い事を始めてまだ日が**アサ**い。（　　）

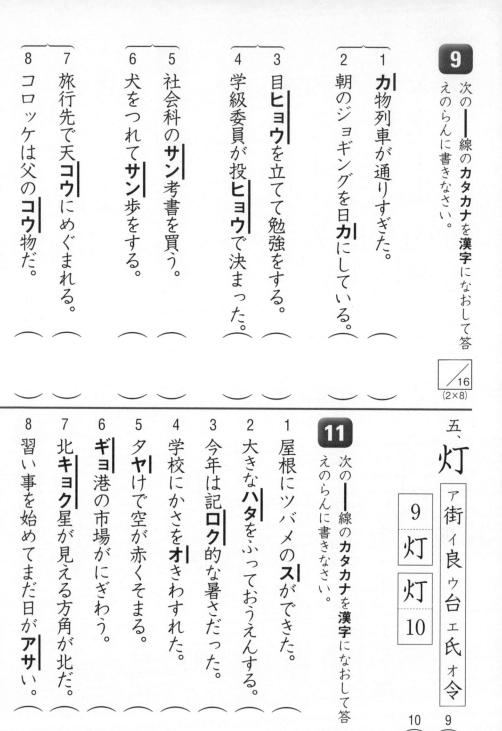

10

上の漢字と下の□の中の漢字を組み合わせて**二字のじゅく語を二つ作り**、答えのらんに**記号**で書きなさい。

/20 (2×10)

〈例〉校　ア門　イ学　ウ海　エ体　オ読

イ校　校ア

一、積　ア面　イ放　ウ副　エ止　オ雪

1積　積2

二、牧　ア草　イ港　ウ法　エ放　オ群

3牧　牧4

三、共　ア例　イ公　ウ香　エ員　オ同

5共　共6

四、変　ア具　イ挙　ウ身　エ案　オ急

7変　変8

1（　）
2（　）
3（　）
4（　）
5（　）
6（　）
7（　）
8（　）

9 着物の**オビ**をしめる。（　）

10 休みの日は**ハク**物館に行く。（　）

11 福**イ**県の有名なお寺をたずねた。（　）

12 新かん線の指定**セキ**にすわる。（　）

13 大**ジン**が質《しつ》問に答える。（　）

14 楽しい**ミ**来を想像《ぞう》する。（　）

15 ドローンを**ト**ばして遊ぶ。（　）

16 **アイ**用のカメラを旅行に持っていく。（　）

17 悲しい場面が心に**ノコ**った。（　）

18 徒**キョウ**走で一着になった。（　）

19 次の**シュク**日は家族と出かける。（　）

20 雨ふって地**カタ**まる（　）

Aランク 配当漢字表①読み

1 かいがん　2 お　3 きゅうこん
4 きょねん　5 ぎん　6 どうぐ
7 みずうみ　8 まつ　9 こゆび　10 う
11 せかい　12 はんたい　13 ちかてつ
14 じてんしゃ　15 はこ　16 はつめい
17 うつく　18 じめん　19 よてい　20 なが
21 りょうほう　22 いちれつ　23 きし
24 さ　25 ぶんかさい
26 しょくぶつえん　27 びじん
28 ころ　29 そ　30 りゅうこう
31 たいいく　32 そだ　33 しゃくしょ
34 だいどころ　35 ちょうし　36 しら
37 こうてい　38 にわ　39 りょこう
40 たびさき

Aランク 配当漢字表①書き取り

1 育　2 箱　3 起　4 岸　5 去
6 球　7 鉄　8 具　9 湖　10 流
11 美　12 銀　13 所　14 祭　15 両
16 指　17 反　18 対　19 調　20 世
21 転　22 発　23 面　24 植　25 列
26 庭　27 予　28 旅

Aランク 配当漢字表②読み

1 の　2 うんどうかい　3 えき
4 おくじょう　5 かんそう　6 けんきゅう
7 ほどうきょう　8 けってい　9 みなと
10 さら　11 きも　12 みの　13 まも　14 なら
15 そうだん　16 よそう　17 みじか　18 あじ
19 ことば　20 たいよう　21 れんしゅう
22 せんろ　23 はこ　24 ばし　25 き
26 み　27 あいて　28 たん　29 いみ
30 くうこう　31 あんざん　32 くら
33 すいえい　34 およ　35 こんき　36 ね
37 ゆうえんち　38 あそ　39 ようす
40 おうさま

Aランク 配当漢字表②書き取り

1 港　2 暗　3 駅　4 飲　5 決
6 運　7 屋　8 泳　9 感　10 想
11 研　12 究　13 根　14 短　15 路
16 橋　17 様　18 皿　19 相　20 守
21 実　22 陽　23 練　24 習　25 葉
26 遊　27 味　28 持

Bランク 配当漢字表①読み

1 いいん 2 ちゅうおう 3 にもつ
4 たいいくかん 5 きかん 6 ほうこう
7 つぎ 8 しごと 9 う 10 ひろ
11 しゅうごう 12 あつ 13 け 14 せいり
15 ぜんりょく 16 すいぞくかん 17 ま
18 しま 19 ゆ 20 なみ 21 こくばん
22 がくようひん 23 みどり 24 しょうか
25 きじ 26 あつ 27 き 28 つ
29 いた 30 てじな 31 あんぜん 32 やす
33 きゅう 34 いそ 35 かいし 36 はじ
37 じゅうしょ 38 す 39 ちゃくち
40 みずぎ

Bランク 配当漢字表①書き取り

1 安 2 品 3 全 4 員 5 央
6 館 7 荷 8 整 9 始 10 期
11 急 12 波 13 向 14 島 15 次
16 集 17 事 18 住 19 湯 20 受
21 拾 22 消 23 族 24 待 25 暑
26 着 27 緑 28 板

Bランク 配当漢字表②読み

1 いけん 2 よこ 3 せかい 4 かいし
5 かい 6 さぎょう 7 きんこ 8 か
9 まうえ 10 ふか 11 むかし 12 ほうそう
13 だしゃ 14 ちゅうもん 15 くちぶえ
16 のうえん 17 ばたけ 18 さか 19 こおり
20 ま 21 ようふく 22 あぶら 23 ひつじ
24 ひら 25 しょうぶ 26 しゃしん
27 おく 28 う 29 そそ 30 せきゆ
31 あくじ 32 わる 33 きょく 34 ま
35 とざんか 36 のぼ 37 どうぶつえん
38 もの 39 へんじ 40 かえ

Bランク 配当漢字表②書き取り

1 悪 2 羊 3 注 4 意 5 横
6 服 7 界 8 氷 9 開 10 昔
11 階 12 曲 13 農 14 業 15 油
16 庫 17 勝 18 負 19 打 20 真
21 畑 22 深 23 坂 24 送 25 笛
26 登 27 物 28 返

Bランク 配当漢字表③読み

1 ば　2 きゃく　3 かかり　4 かる
5 ばんごう　6 むしば　7 おも
8 たいじゅう　9 たす　10 の
11 しんちょう　12 じんじゃ　13 いき
14 だいひょう　15 そうだん　16 お
17 よてい　18 かわ　19 はな　20 べんきょう
21 はな　22 りゆう　23 お　24 れい
25 かがく　26 かさ　27 じょしゅ
28 じょうしゃ　29 かみさま　30 か
31 くしん　32 にが　33 しゃせい　34 うつ
35 ぬし　36 しゅご　37 そくど　38 はや
39 でんちゅう　40 はしら

Bランク 配当漢字表③書き取り

1 代　2 化　3 客　4 乗　5 苦
6 勉　7 放　8 係　9 息　10 軽
11 神　12 号　13 歯　14 定　15 追
16 写　17 主　18 助　19 身　20 重
21 速　22 由　23 談　24 礼　25 柱
26 皮　27 鼻　28 落

C ランク 配当漢字表①読み

1 いしゃ 2 いいん 3 にゅういん
4 さむ 5 きょく 6 くん 7 ち 8 し
9 しき 10 きゅうしゅう 11 しょうてん
12 ぶんしょう 13 もう 14 だいめい
15 すみ 16 いっちょう 17 てちょう
18 どうわ 19 にばい 20 ふで
21 じゅうびょう 22 とんや 23 しやくしょ
24 くすり 25 ゆうめいじん 26 と
27 せきたん 28 やっきょく 29 もんだい
30 もうひつ 31 おんしつ 32 あたた
33 こうしん 34 すす 35 うんどうかい
36 うご 37 しんぱい 38 くば 39 びょうき
40 やまい

C ランク 配当漢字表①書き取り

1 医 2 薬 3 委 4 章 5 院
6 申 7 温 8 寒 9 進 10 局
11 丁 12 君 13 血 14 配 15 詩
16 帳 17 役 18 式 19 州 20 病
21 商 22 倍 23 問 24 題 25 童
26 秒 27 有 28 動

Cランク 配当漢字表②読み

1 かんじ　2 きゅう　3 みや　4 ちく
5 けん　6 しあわ　7 し　8 つか
9 だしゃ　10 と　11 にほんしゅ　12 お
13 しゅくだい　14 しょうわ　15 たにん
16 だいいち　17 とかい　18 おんど
19 まめでんきゅう　20 かな　21 ぶ
22 ふくび　23 いのち　24 ようふく　25 さけ
26 もの　27 みやこ　28 だいず　29 やど
30 たい　31 しごと　32 つか　33 な
34 とうしゅ　35 ひと　36 いっとう
37 ずひょう　38 あらわ　39 へいわ
40 ひらおよ

Cランク 配当漢字表②書き取り

1 表　2 級　3 酒　4 幸　5 宿
6 終　7 豆　8 投　9 福　10 等
11 洋　12 部

Aランク　書きじゅん

31	25	19	13	7	1
7	11	7	6	11	9
32	**26**	**20**	**14**	**8**	**2**
13	9	7	13	4	5
33	**27**	**21**	**15**	**9**	**3**
8	12	16	5	6	12
34	**28**	**22**	**16**	**10**	**4**
16	13	5	5	8	13
35	**29**	**23**	**17**	**11**	**5**
8	9	11	8	12	5
36	**30**	**24**	**18**	**12**	**6**
9	14	5	5	11	8

Bランク　書きじゅん

31	25	19	13	7	1
2	9	11	12	7	6
32	**26**	**20**	**14**	**8**	**2**
9	13	9	4	12	10
33	**27**	**21**	**15**	**9**	**3**
9	10	7	8	6	3
34	**28**	**22**	**16**	**10**	**4**
12	12	3	3	11	6
35	**29**	**23**	**17**	**11**	**5**
4	3	5	7	16	4
36	**30**	**24**	**18**	**12**	**6**
6	8	4	4	12	5

Aランク　はんたい語

21	16	11	6	1
発	進	始	去	悪
22	**17**	**12**	**7**	**2**
悲	他	拾	曲	安
23	**18**	**13**	**8**	**3**
負	対	暑	苦	暗
24	**19**	**14**	**9**	**4**
両	追	消	軽	横
	20	**15**	**10**	**5**
	投	深	死	起

Bランク　はんたい語

21	16	11	6	1
配	相	集	守	央
22	**17**	**12**	**7**	**2**
洋	送	勝	受	着
23	**18**	**13**	**8**	**3**
返	短	乗	終	開
24	**19**	**14**	**9**	**4**
落	登	昔	習	安
	20	**15**	**10**	**5**
	動	部	重	苦

答え

本冊
58～61
ページ

A ランク 同じ部首の漢字

1 息
2 急
3 悪
4 悲
5 意

6 想
7 笛
8 箱
9 等
10 筆

11 速
12 進
13 遊
14 運
15 返

16 追
17 苦
18 薬
19 荷
20 葉

21 客
22 守
23 宿
24 宮
25 安

26 実
27 板
28 橋
29 柱
30 根

31 横
32 様

33 泳
34 油
35 決
36 温
37 洋

38 流
39 係
40 代
41 他
42 倍

43 住
44 仕

B ランク 同じ部首の漢字

1 指
2 持
3 投
4 福
5 神

6 礼
7 鉄
8 銀

9 階
10 院
11 陽
12 緑
13 練

14 終
15 軽
16 転

17 詩
18 談
19 調
20 族
21 旅

22 待
23 役
24 庭
25 庫
26 屋

27 局

28 助
29 勉
30 動
31 顔
32 題

33 都
34 部
35 列
36 前
37 登

38 発

Aランク

同じ読みの漢字

1 員
2 院
3 安
4 暗
5 界
6 階
7 究
8 球
9 曲
10 局
11 真
12 身
13 州
14 習
15 仕
16 死
17 消
18 章
19 住
20 重
21 送
22 想
23 題
24 代
25 島
26 豆
27 秒
28 病
29 由
30 有
31 陽
32 洋

Bランク

同じ読みの漢字

1 意
2 医
3 開
4 絵
5 急
6 級
7 感
8 館
9 血
10 決
11 使
12 始
13 事
14 次
15 集
16 終
17 商
18 勝
19 帳
20 丁
21 写
22 者
23 童
24 動
25 服
26 福
27 氷
28 表
29 由
30 遊
31 薬
32 役

Aランク

おくりがな

1 暗い
2 育てる
3 苦しい
4 始まる
5 受ける
6 集まる
7 重ねる
8 植える
9 整える
10 注ぐ
11 定める
12 転がす
13 等しい
14 悲しい
15 美しい
16 平たい
17 流れる

Bランク

おくりがな

1 運ぶ
2 温める
3 開く
4 起きる
5 決める
6 向ける
7 写す
8 調べる
9 助ける
10 消える
11 短い
12 動かす
13 投げる
14 配る
15 負ける
16 味わう
17 遊ぶ

Aランク 配当漢字表①読み

1 いばらき　2 えひめ　3 おおいた
4 あいけん　5 め　6 まちかど　7 と
8 お　9 や　10 かながわ　11 なら
12 ぎふ　13 なかま　14 おおさか
15 とやま　16 おかやま　17 ねんが
18 ぐんま　19 しが　20 かごしま
21 みやぎ　22 こじか　23 ふくおか
24 ときょうそう　25 けいば　26 しず
27 あんせい　28 やくそく　29 たば
30 にっしょう　31 て　32 ねっしん
33 あつ　34 たいぐん　35 むら
36 じょうかまち　37 しろ　38 ふ
39 と

Aランク 配当漢字表①書き取り

1 茨　2 媛　3 岡　4 飛　5 滋
6 鹿　7 城　8 奈　9 群　10 阪
11 仲　12 富　13 鳥　14 富　15 分
16 競　17 城　18 静　19 鹿　20 城
21 奈　22 愛　23 芽　24 街　25 競
26 焼　27 照　28 静　29 折　30 束
31 群　32 熱　33 束　34 照　35 折
36 芽　37 熱　38 飛　39 阜　40 富

Aランク 配当漢字表②読み

1 くまもとじょう
2 ねが
3 しぜん
4 すばこ
5 はいち
6 りよう
7 いちりんしゃ
8 かお
9 いど
10 じてん
11 ねん
12 わら
13 てんねん
14 とくよう
15 やまなし
16 にいがた
17 ふくい
18 おきなわ
19 とくしま
20 かがわ
21 なわ
22 まと
23 のこ
24 か
25 いわ
26 しゅくがかい
27 おぼ
28 さ
29 ひ
30 つめ
31 つづ
32 ぞっこう
33 めんせき
34 つ
35 えいこう
36 さか
37 あんしょう
38 とな
39 へん
40 か

Aランク 配当漢字表②書き取り

1 借
2 熊
3 香
4 縄
5 井
6 沖
7 徳
8 潟
9 典
10 唱
11 香
12 井
13 徳
14 念
15 栄
16 残
17 祝
18 笑
19 願
20 唱
21 積
22 然
23 巣
24 続
25 置
26 変
27 利
28 輪
29 願
30 冷
31 梨
32 祝
33 覚
34 続
35 置
36 変
37 輪
38 覚
39 借
40 的
41 冷
42 残

Aランク 配当漢字表③読み

1 とちぎ　2 はた　3 な　4 かがみ
5 さくや　6 す　7 がいとう　8 たね
9 まつ　10 せき　11 あさ
12 そつぎょう　13 おび　14 かいてい
15 さが　16 とうゆ　17 うめ
18 はくぶつかん　19 びん　20 ほうぼく
21 すえ　22 まんてん　23 りく
24 さいたま　25 ろくが　26 みやざき
27 こっき　28 ねったい　29 たよ
30 ねんまつ　31 しょくえん　32 しお
33 せんしゅ　34 えら　35 でんき
36 つた　37 ひっし　38 かなら
39 ほうたい　40 つつ

Aランク 配当漢字表③書き取り

1 塩　2 佐　3 旗　4 泣　5 鏡
6 昨　7 刷　8 埼　9 種　10 松
11 席　12 浅　13 選　14 卒　15 帯
16 底　17 崎　18 伝　19 灯　20 梅
21 博　22 必　23 便　24 包　25 牧
26 末　27 満　28 陸　29 帯　30 録
31 塩　32 佐　33 鏡　34 刷　35 底
36 崎　37 梅　38 必　39 便　40 包
41 末　42 栃

Bランク 配当漢字表①読み

1 いち　2 やじるし　3 きょうぎ
4 なんきょく　5 ふうけい　6 げい　7 た
8 けんこう　9 やさい　10 しゅざい
11 なふだ　12 なお　13 じてん　14 まわ
15 しょしん　16 せつやく　17 まご
18 とくべつ　19 めし　20 あた
21 たいぼう　22 しみん　23 やくそく
24 みずあ　25 るい　26 きしべ
27 しゅうゆう　28 さつたば　29 ちあん
30 はじ　31 けつまつ　32 むす　33 ゆうこう
34 す　35 さんどう　36 まい　37 せつめい
38 と　39 どりょく　40 つと

Bランク 配当漢字表①書き取り

1 位　2 印　3 議　4 極　5 景
6 芸　7 結　8 建　9 好　10 康
11 菜　12 材　13 札　14 参　15 治
16 辞　17 周　18 初　19 節　20 説
21 孫　22 努　23 特　24 飯　25 辺
26 望　27 民　28 約　29 浴　30 類
31 位　32 参　33 初　34 好　35 結
36 好　37 札　38 初　39 節　40 辺
41 望　42 浴

Bランク 配当漢字表②読み

1 あんがい　2 せいか　3 かだい
4 すいどうかん　5 せきしょ　6 かんせん
7 きよう　8 きょうりょく　9 くんれん
10 はんけい　11 けんこう　12 たいけん
13 かた　14 ものさし　15 かんさつ
16 そうこ　17 ひだりがわ　18 とほ
19 はたら　20 ひょうご　21 ふふく
22 べつびん　23 だいな　24 お　25 くろう
26 は　27 かんけい　28 ろうどう　29 わか
30 むり　31 かいりょう　32 あらた
33 さいしん　34 もっと　35 せんそう
36 あらそ　37 ゆうき　38 いさ　39 えいよう
40 やしな

Bランク 配当漢字表②書き取り

1 案　2 果　3 課　4 改　5 管
6 関　7 観　8 器　9 協　10 訓
11 径　12 健　13 験　14 固　15 差
16 最　17 察　18 争　19 倉　20 側
21 徒　22 働　23 標　24 不　25 別
26 無　27 勇　28 養　29 老　30 労
31 案　32 果　33 改　34 管　35 関
36 固　37 最　38 倉　39 側　40 勇
41 無　42 養

Cランク　配当漢字表①読み

1 いるい　2 ひゃっかてん　3 きかい
4 ひゃくがい　5 かき　6 あ
7 たいりょう　8 こうきょう　9 こうろう
10 う　11 さんぽ　12 じどう　13 うしな
14 だいじん　15 しんよう　16 はぶ
17 せいりゅう　18 たいちょう
19 とうひょう　20 ふきん　21 ふくさよう
22 みらい　23 さいじゅうよう
24 りょうきん　25 つ　26 とも　27 ち
28 つ　29 さんち　30 きよ　31 かにゅう
32 くわ　33 けってん　34 か　35 ていか
36 ひく　37 しっぱい　38 やぶ
39 たいりょう　40 はか

Cランク　配当漢字表①書き取り

1 衣　2 加　3 貨　4 械　5 害
6 季　7 挙　8 漁　9 共　10 欠
11 功　12 産　13 散　14 児　15 失
16 臣　17 信　18 省　19 清　20 隊
21 低　22 敗　23 票　24 付　25 副
26 未　27 要　28 料　29 量　30 連
31 加　32 挙　33 共　34 欠　35 散
36 失　37 省　38 清　39 低　40 敗
41 付　42 連

Cランク 配当漢字表②読み

1 いがい 2 えいかいわ 3 ろくおくえん
4 かく 5 かんぱい 6 がいこうかん
7 きぼう 8 き 9 きゅうしょく
10 ぐんじん 11 ぐんぶ 12 てんこう
13 しめい 14 しかい 15 じゅんろ
16 たたか 17 じょうたつ 18 たんさん
19 いっちょうえん 20 とどうふけん
21 へいき 22 ほう 23 よ 24 めいれい
25 いじょう 26 かんせい 27 ひょうごけん
28 じゅんばん 29 せんじ 30 りょうやく
31 ようきゅう 32 もと 33 しけん
34 こころ 35 せいか 36 な 37 ふじん
38 おっと 39 れいぶん 40 たと

Cランク 配当漢字表②書き取り

1 以 2 英 3 億 4 完 5 機
6 求 7 給 8 軍 9 候 10 順
11 成 12 戦 13 達 14 単 15 法
16 良 17 令 18 例

本冊 116～123 ページ

A ランク　漢字えらび

1 ウ	2 ア	3 ウ	4 ア	5 ウ	6 ア
7 イ	8 イ	9 ウ	10 ア	11 ウ	12 ア
13 ア	14 イ	15 ア	16 ウ	17 イ	18 イ
19 ウ	20 ア	21 ウ	22 イ	23 イ	24 ア
25 ウ	26 ウ	27 ウ	28 ア		

B ランク　漢字えらび

1 イ	2 ア	3 ア	4 イ	5 ア	6 イ
7 ウ	8 ウ	9 イ	10 ア	11 ア	12 イ
13 ウ	14 ア	15 ア	16 イ	17 ア	18 イ
19 ウ	20 ア	21 ウ	22 イ	23 イ	24 ウ
25 イ	26 ウ	27 ウ	28 イ		

A ランク　画数

1 12	2 6	3 13	4 3	5 11	6 10	7 18
8 19	9 4	10 7	11 14	12 18	13 8	14 10
15 11	16 18	17 11	18 8			
19 8	20 4	21 7	22 1	23 7	24 7	25 8
26 7	27 8	28 13	29 14	30 9	31 11	32 10
33 9	34 8	35 5	36 5	37 10	38 7	39 3
40 9	41 15	42 11	43 15	44 18	45 6	46 16

B ランク　画数

1 13	2 7	3 4	4 3	5 8	6 7	7 12
8 10	9 20	10 7	11 7	12 3	13 7	14 10
15 5	16 14	17 9	18 12			
19 3	20 7	21 4	22 12	23 8	24 13	25 8
26 10	27 12	28 13	29 6	30 7	31 8	32 12
33 5	34 6	35 8	36 3	37 9	38 12	39 3
40 13	41 9	42 19	43 7	44 12	45 9	46 15

Aランク 音読み・訓読み

番号	答え	番号	答え	番号	答え	番号	答え	番号	答え	番号	答え	番号	答え
1	ア	8	イ	15	ア	19	イ	26	ア	33	イ	40	ア
2	イ	9	イ	16	ア	20	ア	27	ア	34	ア	41	ア
3	イ	10	イ	17	ア	21	ア	28	イ	35	ア	42	イ
4	ア	11	イ	18	イ	22	イ	29	ア	36	ア	43	ア
5	ア	12	イ			23	イ	30	イ	37	ア	44	イ
6	イ	13	ア			24	イ	31	イ	38	イ	45	ア
7	ア	14	イ			25	イ	32	ア	39	ア	46	ア

Bランク 音読み・訓読み

番号	答え	番号	答え	番号	答え	番号	答え	番号	答え	番号	答え	番号	答え
1	ア	8	イ	15	ア	19	イ	26	ア	33	ア	40	イ
2	イ	9	ア	16	イ	20	ア	27	ア	34	イ	41	イ
3	ア	10	イ	17	イ	21	ア	28	ア	35	イ	42	ア
4	ア	11	イ	18	ア	22	ア	29	イ	36	ア	43	ア
5	ア	12	イ			23	イ	30	ア	37	ア	44	イ
6	ア	13	ア			24	ア	31	ア	38	イ	45	ア
7	イ	14	ア			25	ア	32	ア	39	ア	46	ア

Aランク 対義《ぎ》語

番号	答え	番号	答え	番号	答え	番号	答え	番号	答え
1	健	6	然	11	無	16	昨	21	泣
2	熱	7	功	12	低	17	差	22	欠
3	低	8	浅	13	末	18	戦	23	敗
4	差	9	卒	14	敗	19	良	24	無
5	初	10	席	15	利	20	徒		

Bランク 対義《ぎ》語

番号	答え	番号	答え	番号	答え	番号	答え	番号	答え
1	辺	6	昨	11	無	16	治	21	笑
2	失	7	続	12	然	17	未	22	好
3	散	8	満	13	低	18	底	23	結
4	静	9	低	14	冷	19	望	24	副
5	副	10	陸	15	陸	20	無		

A ランク 送りがな

1 結ぶ
2 栄え
3 加わる
4 改める
5 覚える
6 固い
7 求める
8 欠ける
9 建てる
10 好む
11 散らす
12 試みる
13 治まる
14 失う
15 借りる
16 照らす
17 戦う
18 選ぶ
19 争う
20 伝える
21 努める
22 働く
23 敗れる
24 必ず
25 包む
26 勇ましい
27 養う
28 浴びる
29 冷たい
30 覚める

B ランク 送りがな

1 加える
2 覚ます
3 最も
4 挙げる
5 願う
6 香り
7 群れる
8 残る
9 祝う
10 笑う
11 唱える
12 焼ける
13 省く
14 清める
15 静かだ
16 折れる
17 浅い
18 続ける
19 帯びる
20 低い
21 伝わる
22 飛ばす
23 付ける
24 別れる
25 変わる
26 望む
27 満たす
28 量る
29 冷える
30 連なる

A ランク 同じ部首の漢字

ア
1 働　2 健　3 側　4 位　5 信　6 仲　7 候　8 伝　9 借　10 億

イ
11 漁　12 清　13 浴　14 満　15 浅　16 泣　17 泳　18 波　19 消　20 治

ウ
21 達　22 連　23 辺　24 速　25 選　26 追　27 遊

エ
28 松　29 極　30 材　31 標　32 機　33 根　34 札

オ
35 級　36 約　37 給　38 練　39 結　40 続　41 終

カ
42 英　43 芸　44 芽　45 菜　46 薬　47 荷　48 苦

B ランク 同じ部首の漢字

ア
1 徒　2 径　3 待

イ
4 園　5 固　6 図

ウ
7 努　8 労　9 勇

エ
10 想　11 念　12 愛

オ
13 改　14 敗　15 散

カ
16 器　17 司　18 周

キ
19 陸　20 陽　21 隊

ク
22 察　23 完　24 官

ケ
25 照　26 熱　27 然

コ
28 副　29 利　30 刷　31 列

サ
32 管　33 節　34 箱

シ
35 録　36 銀　37 鏡

ス
38 底　39 康　40 府

セ
41 議　42 談　43 説　44 課

答え

本冊 140～143ページ

Aランク 同じ読みの漢字

1 位
2 衣
3 貨
4 課
5 機
6 器
7 旗
8 季
9 英
10 栄
11 害
12 街
13 給
14 求
15 鏡
16 共
17 功
18 康
19 候
20 好
21 要
22 養
23 試
24 司
25 唱
26 照
27 散
28 参
29 徳
30 特
31 老
32 労
33 底
34 低
35 果
36 加

Bランク 同じ読みの漢字

1 完
2 関
3 官
4 管
5 節
6 説
7 倉
8 争
9 静
10 省
11 成
12 清
13 信
14 真
15 察
16 札
17 帯
18 隊
19 児
20 辞
21 票
22 標
23 郡
24 群
25 府
26 夫
27 量
28 料
29 最
30 菜
31 景
32 径
33 欠
34 結
35 積
36 席

答え

本冊 144 ～ 149 ページ

A ランク じゅく語作り

1 ア	2 イ	3 ウ	4 イ	5 ア	6 イ
7 エ	8 オ	9 ア	10 イ	11 ア	12 イ
13 ウ	14 エ	15 イ	16 ア	17 オ	18 イ
19 イ	20 ウ	21 オ	22 エ	23 イ	24 ウ
25 イ	26 ウ	27 ア	28 ウ	29 イ	30 ア
31 ア	32 エ	33 オ	34 イ		

B ランク じゅく語作り

1 ウ	2 エ	3 ア	4 イ	5 エ	6 ア
7 ア	8 イ	9 ア	10 イ	11 オ	12 イ
13 エ	14 イ	15 ウ	16 エ	17 イ	18 オ
19 イ	20 ウ	21 ア	22 イ	23 オ	24 エ
25 ア	26 ウ	27 ア	28 エ	29 イ	30 ア
31 ア	32 エ	33 オ	34 イ		

C ランク じゅく語作り

1 ア	2 オ	3 ウ	4 エ	5 ア	6 エ
7 ア	8 オ	9 ア	10 イ	11 オ	12 イ
13 イ	14 オ	15 ウ	16 エ	17 イ	18 オ
19 ア	20 オ	21 イ	22 ウ	23 オ	24 ウ
25 ア	26 エ	27 ウ	28 イ	29 ア	30 イ
31 オ	32 イ	33 エ	34 イ		